Akita Inu
(Rasa Psa)

Jakub Kowalczyk

Spis treści.

Spis rysunków

Akita Inu - trochę więcej wilka niż się podejrzewa

Akita Inus to wyjątkowo piękne psy, znane również jako szpice japońskie. Przodkowie i hodowla w przeszłości prowadzą do bardzo nietypowego dla psów charakteru. Akity nadają się więc tylko dla osób, które intensywnie znają się na szkoleniu psów i szanują ich charakter.

Zdjęcie 1Akita Inu w pełnej krasie

Pochodzenie rasy

Przodkowie Akita Inu mogli wkroczyć na wyspy japońskie w towarzystwie ludzi. Oznacza to długi rozwój, zanim człowiek i pies po raz pierwszy dotarli do wyspiarskiego królestwa.

Od wilka do psa

Kiedy wilk stał się psem nie da się już dziś ustalić. Znaleziska wskazują, że psy towarzyszą człowiekowi od około 20 tysięcy lat. Rozwój człowieka rozpoczął się ponad 300 tys. lat temu w Afryce. Dziś uważa się za udowodnione, że człowiek rozprzestrzenia się na północ średnio o 400 metrów rocznie. Do Syberii dotarli 25 tys. lat temu, a Cieśninę Beringa przekroczyli 15 tys. lat temu.

Japonia została zasiedlona w okresie od 10 000 lat p.n.e. do ok. 300 lat p.n.e. przez ludzi, którzy prawdopodobnie przybyli z Azji Środkowej, Syberii i rejonu południowego Pacyfiku. Przywieźli ze sobą psy, które najprawdopodobniej przypominały nordyckie psy zaprzęgowe.

Nie wiadomo, jak doszło do przyjaźni między wilkami a ludźmi. Według naukowca Francisa Galtona ludzie hodowali w swoich osadach wilcze szczenięta i w ten sposób zmieniali je w zwierzęta domowe. Jednak wilki zapewne działały na ludzi dość przerażająco. Poza tym mięso było pożądanym i cennym pokarmem. Dlaczego więc człowiek miałby wprowadzić do swojego mieszkania zwierzę, które było konkurentem do jedzenia. Ludzie musieli około 20 000 lat temu odkryć w wilku cechę, która wydała im się przydatna. Być może ludzie zauważyli, że wilki są dobrymi myśliwymi, z których można wziąć ofiarę. Psy, które przeniosły się na wyspy japońskie wraz z pierwszymi ludźmi w tym czasie mogły być typowymi psami pracującymi, które nosiły lub ciągnęły ciężkie ładunki.

Faktem jest, że istnieją wizerunki psów z II wieku p.n.e., które wyglądają podobnie do dzisiejszych Akit ze stojącymi uszami i zakręconym nad grzbietem ogonem. Ten typ psa można również znaleźć w reliefie na dzwonach z brązu wykonanych mniej więcej w tym samym czasie.

Ówczesne psy były mniejsze od dzisiejszych Akit. Watase wyróżnia trzy typy geograficzne: skrajnie północny, północny i południowy. Te typy psów wyglądały różnie, w zależności od warunków i sposobu życia. Typ północny był duży, długowłosy, przeważnie biały i miał typowy zakręcony ogon nad grzbietem, który jest jednym z przodków dzisiejszych Akit.

Wilki chińskie w młodszej linii rodowej

Rozwój od wilka do psa nie zawsze jest prosty. Raz po raz wilki były krzyżowane. Nie wiadomo, czy takie krzyżowanie było celowe. Możliwe jest również, że potomkowie zdziczałych psów domowych, które dołączyły do wilków, zostali ponownie oswojeni przez człowieka.

Faktem jest, że badania genetyczne potwierdzają, że wśród przodków Akitów są wilki chińskie.

Hodowla Akita Inus

Nazwa Akita Inu pochodzi prawdopodobnie od obecnej prefektury Akita. Dodatki Inu i Ken to tylko japońskie słowa oznaczające psa. W przeszłości dodatki były częścią nazwy rasy. Do 1999 roku hodowano dwa typy rasy, jeden typ od tego roku figuruje jako niezależna rasa Akita amerykańska w wykazie FCI (Fédération Cynologique Internationale), typ japoński nosi jedynie nazwę rasy Akita.

Pierwszymi przodkami były średniej wielkości psy trzymane w wioskach Matagi (wioskach myśliwych) charakteryzujących się polowaniem i rybołówstwem. Uważano ich za dobrych myśliwych, żerujących zarówno na antylopach, jak i niedźwiedziach.

W średniowieczu polowania zeszły na dalszy plan, a rozbudowano rolnictwo. Okres ten charakteryzował się walkami pomiędzy różnymi domami szlacheckimi. Rolnicy wykorzystywali teraz silne psy do ochrony, a mniej do polowań. Matagi Inu stał się psem, który z charakteru przypominał dzisiejszą Akitę Inu. Był to pies czujny, obronny, pewny siebie, duży i silny, który imponował ludzkim napastnikom swoim imponującym wyglądem. Jednak niektóre z oryginalnych Matagi Inu nadal istnieją.

W XIX wieku japońscy arystokraci przyjęli ówczesny europejski zwyczaj organizowania walk psów. Dlatego do rasy wprowadzono również molosy i teriery. Zmienił się charakter i wygląd. Nowe rasy miały klapnięte uszy, opadające ogony, luźną skórę i opadające fafle.

Kiedy w 1909 roku zakazano walk psów i rozpoczął się powrót do japońskich wartości i tradycji, uwaga zwróciła się na nieliczne pozostałe przy życiu Matagi i Akita Inus. Konsekwentna hodowla starych ras zaowocowała dzisiejszą Akitą, która w 1931 roku została uznana za pomnik przyrody jako pierwsza z japońskich ras szpiców. Eksport z Japonii był nawet zakazany do 1945 roku.

II wojna światowa nie pozostała bez konsekwencji, gdyż zabrakło pożywienia dla zwierząt i ludzi. W 1945 roku wznowiono hodowlę z nielicznymi pozostałymi zwierzętami.

Początkowo istniały dwie linie hodowlane, linia Ichinoseki, która przypominała pierwotny typ psa japońskiego, oraz linia Dewa-go, w której nadal można było dostrzec krzyżówkę molosów z owczarkami niemieckimi.

Z przedstawicieli obu linii rozwinęła się Akita japońska (dziś Akita), która jest wysoka z krótkim grzbietem i spiczastą głową, oraz Akita amerykańska, o krępej sylwetce, niższych nogach, dłuższym grzbiecie i bardziej prostokątnej głowie.

Charakterystyka rasy

Akity to niezaprzeczalnie piękne psy, przypominające misie swoim gęstym futrem i pozornie uśmiechniętymi pyskami. Niestety, uroda często kusi do dokonania nieprzemyślanego zakupu. Ludzie mają tendencję do kupowania zwierząt domowych na podstawie wyglądu i niewiele myślą o charakterze zwierząt i ich potrzebach. Ten błąd jest szczególnie tragiczny w przypadku szpica japońskiego, ponieważ bardzo kocha on swoich ludzi. Trudno mu poradzić sobie z rozłąką.

Głowa i ciało

Rasa ta jest dość autentyczna i nadal mocno przypomina wyglądem wilka. Akity mają dobrze wyważoną budowę bez fizycznych przerysowań. Samce osiągają wysokość ramion od 64 do 70 cm i ważą od 45 do 59 kg, suki są mniejsze i lżejsze - 58 do 64 cm i waga od 32 do 45 kg.

Szeroka czaszka z wyraźną bruzdą na czole ma dobre proporcje w stosunku do ciała, a nos ma wyraźny stop. Duży czarny nos, ogólnie czarne wargi i ciemne małe oczy nadają twarzy bardzo przyjazny wyraz, jakby pies się uśmiechał.

Mocna kufa jest średniej długości, szeroka u podstawy i stopniowo zwężająca się, ale nie spiczasta. W ustach jest silny zgryz nożycowy. Większość ludzi zakochuje się w małych trójkątnych grubych uszach z zaokrąglonymi końcówkami.

Gruba i muskularna szyja bez odrośnika jest w dobrej proporcji do głowy i ciała. Charakterystyczny dla Akity jest prosty mocny grzbiet, szerokie umięśnione lędźwie i głęboka klatka piersiowa.

Łokcie są blisko ciała. Przednie i tylne ćwiartki są silnie rozwinięte. Grube, okrągłe łapy są wysklepione, a palce są blisko siebie. Psy zachwycają sprężystym i mocnym ruchem oraz sportowym i dostojnym wyglądem.

Najbardziej uderzającą cechą jest wysoko osadzony, gruby, dobrze i mocno zakręcony ogon, który Akita nosi nad grzbietem. Sięga aż do hokeja. Sposób noszenia ogona utrudnia jednak nieco rozeznanie w nastroju psa. Wagging z radości lub chowanie ogona ze strachu są mniej widoczne niż u innych psów.

Umaszczenie i ubarwienie

Sierść zewnętrzna jest twarda i tylko podszerstek miękki i gęsty. W kłębie i na zadku włos jest nieco dłuższy. Najdłuższa sierść znajduje się na ogonie. Dopuszczalne kolory to biały, czerwony płowy, sezamowy i pręgowany. Tylko białe Akity są solidnie umaszczone, ponieważ standard rasy wymaga Urachiro (Urajiro) dla pozostałych kolorów. Oznacza to białawe włosy na bokach pyska, podbródku, szyi, klatce piersiowej, a także na brzusznej stronie ciała, w tym na wewnętrznej stronie nóg. Typowe jest to, że szczenięta często rodzą się z ciemną pręgą na sierści. Niektóre mają nawet czarną maskę. Ciemne włoski są szybko tracone.

Zdjęcie 2Japońska Akita Inu szczeniaki śpiące

Cechy szczególne kolorów

Biały: Nie są albinosami, ponieważ psy mają ciemne oczy i czarny nos, często z małymi różowawymi obszarami. Istnieje wariant genu (recesywny żółty), który zapobiega tworzeniu się czarnego pigmentu w sierści. Szczenięta o tym kolorze nie mają plamek. Biel jest raczej kremowa, więc nie tak biała jak u albinosów. Wzdłuż uszu mogą występować ciemniejsze żółto-pomarańczowe niuanse.

Czerwony: Kolor ten jest wytwarzany przez pigment phaeomelanin, który występuje w różnych odcieniach od żółto-fałszywego do pomarańczowo-czerwonego. Czasami określa się ją również jako płową lub piaskową. Ciemniejsza czerwień z jasnym urachiro jest również nazywana przez niektórych dostawców red-sand lub red-white.

Sezam: W umaszczeniu nie widać wyraźnej czerwieni, ale jest ono raczej ciemne, gdyż rude płowe włosy mają czarne końcówki. Typowa odmiana składa się z kilku ciemnych końcówek włosów na całym ciele, z wyraźnie zwężającym się trójkątem nad czołem. Jeśli jest tylko lekki odcień, nazywa się go czerwonym z sezamem.

Brindle: Pies ma czarne pasy na całym ciele, kolor podłoża może być czerwony, płowy lub sezamowy. Istnieją czerwone pręgi (akatora) o intensywnie czerwonym kolorze podłoża i czarnych paskach; srebrne pręgi (shimofuri) o kremowobiałym kolorze podłoża i czarnych paskach; oraz czarne pręgi (kurotora), które mają gęste paski na ciemnym podłożu i wydają się prawie czarne.

Żaden z wariantów kolorystycznych nie opiera się na wadzie genetycznej, która ma negatywny wpływ na zdrowie.

Zdrowie i choroby dziedziczne

Psy tej rasy są też nadal bardzo podobne do wilka pod względem chorób dziedzicznych. Ani dysplazja stawów biodrowych (HD), ani epilepsja nie wydają się być bardziej powszechne w rasie.

Jedynie choroby skóry występują częściej u Akitów. Zapalenie gruczołu łojowego sporadycznie występuje u tej rasy. Gruczoły łojowe są niszczone przez procesy zapalne. Zwierzęta cierpią z powodu utraty włosów, która jest zwykle miejscowa. Skóra jest zrogowaciała i łuszcząca się. Wyleczenie nie jest możliwe, ale można złagodzić objawy. Podejrzewa się, że choroba jest dziedziczna, gdyż częściej występuje u rodzeństwa.

Pemphigus foliaceus, pęcherzowa autoimmunologiczna dermatoza, również występuje u Akitów. Choroba może być stłumiona przez leki immunosupresyjne.

Niektóre źródła wymieniają również niedoczynność tarczycy, wrodzony zespół przedsionkowy (dziedziczna choroba ucha wewnętrznego) oraz alergie jako choroby częściej występujące u Akit. Prosimy o stosowanie się do zaleceń dietetycznych. Choroba ucha wykazuje pierwsze objawy w ciągu pierwszego miesiąca życia, czyli wtedy, gdy szczenię jest jeszcze u hodowcy. Zwierzę wykazuje zaburzenia przechylania głowy i równowagi, ma tendencję do przewracania się i niewielkie zaburzenia ruchowe. Niektóre z psów są głuche na jedną lub obie strony. Leczenie nie jest możliwe, ale często inne organy przejmują funkcję zaburzonego narządu i psy mogą żyć w dużej mierze bez objawów.

Zmniejszona ilość czerwonych krwinek (mikrocytoza) jest typowa dla Akit, jak również ras Chow-Chow, Shar-Pei i Shiba Inu i dlatego nie jest chorobą.

Psy osiągną średni wiek 10-15 lat dla psów tej wielkości, co jest wspaniałym wiekiem.

Postać z pułapkami

Chociaż wygląd wilka przodka jest nadal rozpoznawalny, wiele osób postrzega Akitę jako wypchane zwierzę. Z pewnością przyczynia się do tego piękne futro, które od razu lubi się głaskać, oraz wyraz twarzy. Ale psy nie wyrażają swoich uczuć poprzez uśmiech.

Pamiętajmy, że pierwotnym zadaniem akit było polowanie nawet na niebezpieczne i duże drapieżniki, a także ochrona domu i podwórka. Jest genetycznie bardzo blisko spokrewniony z wilkami, a jako indywidualista często sam musiał decydować o tym, co robić. Psy te nie wykazują więc tendencji do uległości, ale mają silnie rozwinięte poczucie hierarchii.

Akity są uważane za głupie przez niektórych znawców psów, ponieważ wydają się nie do nauczenia i oblewają nudne testy posłuszeństwa. Inni doceniają ich bystrość i zdolność do nauki. Amerykański naukowiec

Stanley Coren, który bada inteligencję psów, w swojej książce "The Intelligence of Dogs" klasyfikuje Akitę nisko. Przyznaje jednak, że testował posłuszeństwo i inteligencję roboczą, czyli zdolność i chęć wykonywania poleceń radośnie, szybko i bez wahania. Samodzielne poszukiwanie rozwiązań nie było częścią badań.

Przykład z życia codziennego może wyjaśnić, jak myśli Akita. Jeśli nie ma ochoty na bieganie na dłuższym dystansie, podczas joggingu będzie podążał za swoim panem tylko wtedy, gdy nie zna trasy. Gdy tylko przejrzy zwyczaje swojego człowieka, usiądzie w odpowiednim miejscu i będzie czekał, aż człowiek wróci ze swojej tury treningowej. Czy pies jest zbyt głupi, by posłuchać komendy "pięta", czy też wie, że pięta i tak do niego przyjdzie?

Wiele mówi wysoki poziom kompetencji w zakresie rozwiązywania problemów połączony z pewnością siebie, niezależnością, a nawet uporem.

Nie czyni to Akity idealnym psem dla osób, które nie wkładają wiele wysiłku w jego wychowanie. Musi bardzo wcześnie nauczyć się, kto jest przywódcą stada i ten przywódca nie może okazać żadnej słabości.

Celowo nie ma tu odniesienia do tego, że trzeba mieć doświadczenie z psami. Każdy, kto przez lata mieszkał z pugiem, nie zdobędzie doświadczenia, które przyda się w wychowaniu Akity. Czasami doświadczenie jest wręcz przeszkodą, co widać nawet u trenerów psów. W naturze psa japońskiego nie leży natychmiastowe i szybkie wykonywanie każdej komendy. Dobrze wyszkolony pies pasterski będzie realizował komendę bez względu na to, co znajduje się pod nim. Będzie umieszczał swój tył w odłamkach lub kałużach. W przypadku Akity musisz oczekiwać, że najpierw będzie patrzył gdzie usiąść. Będzie miał do ciebie pretensje, jeśli będziesz oczekiwał od niego, że będzie siedział w kałuży, gdy nie będzie miał na to ochoty.

To właśnie sprawia, że treningi są tak trudne. Z jednej strony pies musi zaakceptować cię jako szefa, ale z drugiej strony nie wolno oczekiwać absolutnego posłuszeństwa. Nawet jeśli brzmi to absurdalnie, twoja Akita będzie cię chronić tak bardzo, że może stać się problemem.

Obecnie Akity nie znajdują się na liście psów bojowych w żadnym stanie federalnym. Dlatego nie jest wymagane posiadanie świadectwa kwalifikacji. Niemniej jednak, powinieneś zdobyć Akitę tylko wtedy, gdy masz doświadczenie w kontaktach z psami lub jesteś gotów wiele się nauczyć.

Wierność i miłość psa do swoich ludzi to ogromny problem, jeśli trzeba oddać psa czasowo do pensjonatu lub oddać go, bo nie można sobie z nim poradzić. Takie zrzeczenia często kończą się uśpieniem psa po kilku postojach, podczas których zawsze są problemy.

W przypadku mało której rasy tak ważne jest, aby przez lata móc zaoferować psu to, czego potrzebuje.

Wymagania dotyczące postawy

Twój pies ma szereg potrzeb, o których musisz wiedzieć. Jak wspomniano, dla Akity jest to równoznaczne z katastrofą, jeśli zostanie wypędzony ze swojego stada. Nie ma innego sposobu na to, by pies czuł się oddany obcej osobie.

Warunki mieszkaniowe

Ponieważ Akity zazwyczaj nie mają silnego popędu i nie mają tendencji do wydzierania się, często są zachwalane jako idealny pies do wynajmowanych mieszkań. To nie jest poprawne. Z jednej strony Akita lubi raczej chłód, więc zimą powinien mieć możliwość wyjścia do ogrodu lub na balkon. Ponadto Akita potrzebuje ćwiczeń. Jeśli musi mieszkać w małym mieszkaniu, oznacza to, że musisz zaoferować mu długie spacery.

Akita, który mógłby werbalnie wyrazić swoje życzenia, prawdopodobnie chciałby mieć duży ogród. Własny dom jako miejsce wypoczynku na świeżym powietrzu i nieograniczony dostęp do mieszkania dopełniają jego pakiet życzeń. Ważne jest dla niego, aby kilka razy dziennie mógł przemierzać swoje terytorium. Nie czuje się komfortowo na łańcuchu ani w budach. Oczywiście posesja musi być ogrodzona, pies w żadnym wypadku nie może przeskoczyć przez płot.

Jego pozornie uśmiechnięta twarz sprawia, że wygląda niezwykle przyjaźnie. Powoduje to, że obcy ludzie sięgają nad lub przez ogrodzenie, aby pogłaskać psa. Twój mały wilk uzna takie wtargnięcie na swoje terytorium w mniej przyjazny sposób. Z tego powodu gęstszy żywopłot z dodatkowym ogrodzeniem jest bezpieczniejszy. Pamiętaj też, że listonosze czy doręczyciele paczek mogą dotrzeć do Twojego domu bez zagrożenia. Nawet dobrze wychowany Akita nie lubi, gdy nieznane mu osoby po prostu przekraczają jego terytorium.

Wylot

Wydaje się, że nie ma typowego dla tej rasy popędu do ćwiczeń. Niektórzy właściciele akit donoszą, że ich pies codziennie z entuzjazmem uprawia z nimi jogging. Jak wspomniano, może się też zdarzyć, że pies absolutnie nie ma ochoty na bieganie dłuższych dystansów bez powodu. Gonitwa za jeleniem będzie dla każdego Akity okazją do biegania.

Jeśli Twój Akita ma niewielkie skłonności do wychodzenia na zewnątrz, nie oznacza to, że jest domatorem. Niektóre zwierzęta zabawiają się godzinami wąchając każdy centymetr ziemi na spacerze. Jestem pewna, że będziesz zachwycona, jeśli wyszkolisz go na tropiciela. Większość szpiców japońskich ceni sobie długie dość niespieszne spacery, podczas których można wiele odkryć nosem. Codzienny spacer powinien trwać co najmniej dwie godziny, nawet jeśli pies ma do dyspozycji duży ogród.

Opieka

Zdjęcie 3: Myjnia dla psów Akita

Twarda i dość krótka sierść zdaje się nigdy nie brudzić. Kąpiel zatem prawie nigdy nie jest na porządku dziennym. Ze względów edukacyjnych oswajanie zwierząt z wodą ma jednak sens. Zawsze może się zdarzyć, że Akita całkowicie się zabrudzi. Trudno będzie Ci nad nim zapanować, jeśli nie nauczył się jako młody pies, że kąpiel to nic złego. Podczas "kąpieli ćwiczebnych" zamocz psa, ale nie używaj szamponu.

Szczotkowanie też jest zwykle zbędne, z wyjątkiem sytuacji, gdy sierść jest zmieniona. Będziesz zaskoczony górami miękkiego futra, które twój pies nagle rozprzestrzeni po mieszkaniu, gdy to nastąpi. Podczas szczotkowania szybko zyskujemy wiadro pełne psich włosów.

Jeśli pies mieszka częściowo na zewnątrz, można się spodziewać, że dwa razy w roku zrzuci cały podszerstek. Aby zapanować nad zalewem włosów, wzywa się do intensywnego szczotkowania i czesania przynajmniej raz dziennie. Proces ten bardziej przypomina pierzenie u ptaków niż zmianę sierści u psów.

Uzbrój się w szczotkę do skubania z zaokrąglonym drucianym włosiem i grzebień z grubymi zębami. Przez około dwa tygodnie Twój Akita będzie wyglądał na wyskubanego, potem znów będzie miał atrakcyjną i łatwą w pielęgnacji sierść. Mało który pies lubi odkurzacz. Dlatego nie należy używać specjalnych dysz, które są oferowane do pielęgnacji. Odkurzanie psa nie jest w żaden sposób dostosowane do gatunku.

U psów, które przez cały rok żyją w ogrzewanych mieszkaniach, zdarza się, że typowa zmiana sierści nie następuje. To nie jest powód do radości, bo te zwierzęta chleją przez cały rok. Zdecydowanie wymagają więc codziennej pielęgnacji sierści.

Ilustracja 4: Zestaw pielęgnacyjny

Wyrób w sobie nawyk codziennej pielęgnacji ze szczotkowaniem i czesaniem, w tym sprawdzaniem oczu, uszu i łap. Zabierz psa do weterynarza, jeśli zauważysz jakieś urazy lub śmierdzący brud w uszach. Szczególnie Akity cierpiące na chorobę skóry są podatne na roztocza w uszach.

Pazury psa rosną w sposób ciągły, podobnie jak paznokcie. Jeśli Twój pies dużo chodzi po twardym podłożu, będą się dobrze ostrzyć. Może się jednak zdarzyć, że staną się one zbyt długie, jeśli Twoja Akita chodzi prawie wyłącznie po miękkiej trawie. Zbyt długie pazury rozpoznasz po klikającym dźwięku podczas chodzenia. Ponieważ psy mają jeszcze wiele naturalnych instynktów, rzadko się to zdarza. Zazwyczaj skubią pazurki, jeśli są uciążliwe. Dotyczy to również pazurów kciuka i wilczego pazura, które siedzą nieco wyżej na nodze i nie można ich ścierać podczas biegu. Jeśli jeden z pazurów Twojej Akity grozi wrastaniem w skórę, skróć go. Weterynarz chętnie pokaże Ci jak to zrobić.

Mycie zębów nie jest prawdopodobnie czymś, co lubi jakikolwiek pies, ale będą to tolerować, jeśli są do tego przyzwyczajone od szczenięctwa. Najlepiej użyć palczatki i pasty do zębów dla psów. Alternatywnie nadaje się również mieszanina oleju kokosowego i kredy błotnej.

Jeśli Twój Akita absolutnie nie lubi tego zabiegu, podawaj mu kości do żucia, zabawki z wysuszonej bawolej skóry i kopyta do czyszczenia zębów. Patyczki, które rzekomo czyszczą zęby, są popularnymi przekąskami, ale zupełnie nie nadają się do higieny jamy ustnej.

Wydatki na czas

Miło jest być przywitanym przez wiernego psiego przyjaciela po długim dniu w pracy. Ale tu nie chodzi o Twoje potrzeby, tylko o potrzeby psa. Jak wyobrażasz sobie wspólne życie?

- W nocy piesek powinien spać, bo odpoczynek jest potrzebny.

- Rano zabierz go na szybki spacer, zanim zajmiesz się sprawami dnia.

- W południe (miejmy nadzieję) do domu wchodzi ktoś z rodziny, aby wypuścić psa za drzwi. Jeśli nie - cóż, czasem można zmoczyć strumień.

- O 17.00 wracasz do domu, pies wita Cię radośnie i wychodzisz z nim na chwilę za drzwi, bo musisz przygotować wieczorny posiłek.

- Ale wtedy, między 18.00 a 22.00 masz czas i intensywnie zajmujesz się psem.

Czy naprawdę uważasz, że pies, bez względu na rasę, może czuć się tak komfortowo? Dla Akity jest to podwójnie złe, bo on potrzebuje swojego stada. Nie trzyma się swoich ludzi, ale bacznie ich obserwuje. Uczy się rozumieć ich nastroje i gesty. Żaden Akita nie rozumie, dlaczego po prostu zostawiają go samego na wiele godzin.

Może potrzebować tylko trzech do czterech godzin intensywnej uwagi dziennie, ale to nie znaczy, że można go po prostu umieścić w kącie na wiele godzin, jak parasol, którego nie potrzebujesz. Uwaga powinna być rozłożona równomiernie w ciągu dnia. Sesja zabawy rano, dłuższy spacer w porze lunchu i program pielęgnacyjny wieczorem. W tym czasie Akita będzie robił to, co mu się podoba, ale będzie stale obserwował cię i szybko reagował, jeśli podejrzewa interesującą dywersję. Samodzielna opieka nad psem i chodzenie do pracy na cały etat to trudna sprawa.

Odżywianie

Nie chodzi tylko o zdobycie najlepszej karmy dla twojego Akity, ale także o bycie liderem stada.

Zwyczaje żywieniowe w stadzie

W stadzie jedzenie jest ściśle związane z hierarchią. Wyżej postawione zwierzęta pomagają sobie w pierwszej kolejności. Głodni członkowie stada mogą błagać o jedzenie, ale nigdy nie odważą się pomóc sobie.

To już pierwsze podejście do pokazania Akicie, jaką ma rangę w stadzie. Dostaje swoje jedzenie dopiero wtedy, gdy ludzie są najedzeni. W wilczej watahy powszechne jest wycofywanie się niższych rangą osobników wraz z pożywieniem. Pozostali członkowie stada pozwolili mu jeść w spokoju. Twój Akita powinien więc mieć ustronne miejsce do karmienia i nie przeszkadzać mu podczas jedzenia. Ponieważ w oczach psów dzieci są raczej członkami stada, nigdy nie jest wskazane, aby dziecko zbliżało się do jedzącego psa. Wypędzi go z jego pożywienia. Może się zdarzyć, że skubnie ją lekko zębami. Może to jednak prowadzić do obrażeń u dziecka, zwłaszcza jeśli będzie ono próbowało bronić się przed psem.

Dlatego naucz dzieci, by nie patrzyły i nie przeszkadzały psu, gdy ten je.

Alergie i odżywianie

Akita Inus są oczywiście podatne na choroby skóry na bazie alergii pokarmowej. Psy mogą zazwyczaj żyć bez objawów, jeśli dowiesz się, na które produkty Twoja Akita jest uczulona. Dlatego zawsze spróbuj zmiany diety, jeśli twój pies ma swędzące wysypki skórne. Pemphigus foliaceus, pęcherzowa choroba autoimmunologiczna nie ustępuje, jeśli unika się pewnych pokarmów, ale często jest to alergia, która wykazuje bardzo podobne objawy.

Na szczycie listy substancji wywołujących alergie znajdują się konserwanty i barwniki. Ponieważ i tak nie powinny one nigdy znaleźć się w karmie dla psów, od początku upewnij się, że Twoja Akita nie dostaje żadnej karmy, która zawiera te substancje.

Bardzo często jest to również nietolerancja glutenu, więc aby być po bezpiecznej stronie, nigdy nie podawaj psu jedzenia, które zawiera pszenicę. Ziarna bezglutenowe, takie jak kukurydza czy ryż, zwykle nie stanowią problemu. Często obserwowano również alergię na soję.

Nawet jeśli karma dla psa nie zawiera żadnego z nich, przyczyną dolegliwości skórnych może być alergia. Niektóre psy są uczulone na mięso niektórych zwierząt. Najprostszym sposobem, aby się o tym przekonać, jest karmienie psa wyłącznie jednym rodzajem mięsa, na przykład wołowiną, przez kilka dni. Jeśli objawy się zmniejszą, to znaczy, że jest uczulony na inny produkt zawarty w pokarmie. Przetestuj inne rodzaje mięsa, aby zawęzić wyzwalacz alergii.

Przy okazji, wzdęcia i biegunki mogą być również oznaką, że Twój Akita nie toleruje pokarmu.

Ważne: Używaj mięsa ekologicznego, aby wykluczyć możliwość, że pozostałości w mięsie fałszują wynik. Porozmawiaj też z weterynarzem, bo zwykle przydaje się też test alergiczny.

Które jedzenie jest najlepsze?

Oprócz przedstawionej już suchej karmy, istnieją również inne rodzaje karmienia. Podobnie jak w przypadku kastracji, tutaj również opinie są różne. Najlepiej sprawdzić, czym szczeniak był już karmiony u hodowcy.

Zasadniczo rozróżnia się dwa rodzaje karmienia, a mianowicie karmienie wstępnie przygotowane oraz dostarczanie świeżego mięsa (BARF). Gotowa karma dostępna jest w postaci karmy mokrej i suchej.

Oba warianty mają wady i zalety.

Zalety suchej karmy

- ✓ Kwota raz ustalona i uznana za dobrą pozostanie stała tak długo, jak długo będziesz utrzymywać rutynę psa, np. intensywność ćwiczeń.
- ✓ To jest nieskomplikowane: Kupić, nakarmić, zrobić. Dodawanie witamin i innych suplementów diety zwykle nie jest konieczne.
- ✓ Transport i przechowywanie są bardzo łatwe, nawet na wakacjach.
- ✓ Można też podawać porcje karmy w podróży lub podczas uprawiania sportu, kiedy pies ma się napracować.
- ✓ Ma długi okres przydatności do spożycia.
- ✓ Psy o wrażliwych żołądkach są chronione przez mniejsze, ale bogate w składniki odżywcze porcje.

Wady suchej karmy

- ✗ Skład mięsa i wypełniaczy takich jak zboża jest inny dla każdej odmiany.
- ✗ Samego składu nie da się sprawdzić.
- ✗ Trudno jest Ci reagować na indywidualny stan zdrowia psa, np. gdy ma biegunkę.

x Wiele odmian jest nie tylko ziarnistych, ale także zawiera cukier, sztuczne aromaty i wzmacniacze smaku.

x Zapotrzebowanie na płyny jest większe, dlatego psy, które mało piją, trzeba do tego zachęcać.

x Sucha karma może pęcznieć w żołądku, a tym samym w niesprzyjających okolicznościach prowadzić do zapalenia żołądka, do którego wszystkie duże psy mają większą skłonność niż mniejsze.

Zalety karmy mokrej

✓ Smakuje prawie wszystkim psom.

✓ Mokra karma to prawie zawsze najtańsza opcja.

✓ Jest łatwy do kupienia i łatwy do przechowywania.

✓ Karma mokra ma okres przydatności do spożycia wynoszący pół wieczności.

✓ Zawartość wilgoci jest wysoka.

✓ Psy o wrażliwych zębach mogą dobrze przeżuwać mokrą karmę.

✓ Może być stosowany jako pasza pełnoporcjowa, tzn. nie trzeba dodawać nic więcej, jak witaminy, pierwiastki śladowe itp.

Wady karmy mokrej

x Skład nie może być kontrolowany.

x Wzmacniacze smaku i sztuczne aromaty są coraz częściej spotykane w karmach mokrych.

x Zawartość mięsa jest różna w zależności od odmiany.

x Wiele psów odrzuca inne rodzaje karmy, gdy już przyzwyczai się do jednego typu.

x Jeśli pies jest np. alergikiem, nie można indywidualnie dopasować składu karmy.

Zalety BARF

✓ Jedzenie jest świeże.

✓ Większość psów lubi świeże mięso.

✓ Masz pełną kontrolę nad tym, co je Twój pies i możesz dostosować się indywidualnie, np. w przypadku ciąży i wielu chorób.
✓ Barfers nie stosuje żadnych wypełniaczy, konserwantów ani sztucznych aromatów.
✓ W harmonogramie karmienia jest znacznie większa różnorodność.

Wady BARF

✗ Barfing wymaga informacji i wiedzy, którą trzeba zdobyć. Przeczytanie lub pójście do wybranego barf shopu to konieczność!
✗ Ten sposób karmienia jest czasochłonny, ponieważ tarkuje się lub gotuje świeże warzywa i każdy posiłek składa się w całość.
✗ Koszt jest wyższy niż przeciętnej karmy suchej czy mokrej, nawet znacznie, jeśli kupujemy tanie karmy gotowe.
✗ W przypadku nieprawidłowego przechowywania, ewentualne zarazki mogą się rozprzestrzeniać.

Bez względu na to, którą metodę wybierzesz, upewnij się, że ma ona wysoką zawartość mięsa i przyjrzyj się dokładnie składowi. Również czytając raporty z badań, zwróć uwagę na to, co zostało przetestowane. Jeśli sprawdza się tylko, czy skład podany na opakowaniu odpowiada prawdzie, to ocena "bardzo dobry" nadal nic nie mówi o jakości karmy dla psów.

Karma mokra z handlu

Karma dla psów w puszkach oferowana jest przez sprzedawców w cenach od 2 do 8 euro za kilogram. Wysoka cena nie zawsze oznacza dobrą jakość. Ale można być pewnym, że tanie jedzenie jest gorszej jakości. Dobra karma dla psów zawiera głównie mięso i mało zbóż. Barwniki, konserwanty i słodziki nie mają miejsca w karmie dla psów. Producenci dodają takie dodatki, aby człowiek uznał je za apetyczne. Cukier na przykład nadaje mięsu brązowy odcień i delikatny karmelowy zapach. W naturze psy jedzą zazwyczaj czerwone mięso, które gwarantuje, że nie będzie miało słodkiego smaku.

Spójrz na składniki. W pierwszej kolejności powinno być napisane "mięso", jeśli jest napisane "mięso i produkty uboczne pochodzenia zwierzęcego", to obejmuje również materiał z utylizacji kategorii 3. Oznacza to, że ani nie wiadomo dokładnie, z jakiego zwierzęcia pochodzi, ani jakie są jego części ciała. Dlatego wybieraj karmy, w których zawartość jest dokładniej zadeklarowana, zwłaszcza jeśli Twoja Akita ma niewyjaśnioną chorobę skóry.

Ziarna i roślinne produkty uboczne to tanie wypełniacze. Niektóre karmy zawierają łupiny orzechów ziemnych, gluten pszenny lub białko kukurydzy. Takie dodatki utrudniają trawienie pokarmu, powodując wzdęcia. W dodatku są to często alergeny.

Suchy pokarm

Większość psów dość dobrze toleruje suchą karmę, ponieważ zazwyczaj wchłania ona wystarczającą ilość wody. Jednak udział węglowodanów jest dość wysoki. Ze względów produkcyjnych 30% pożywienia składa się ze skrobi. Psy trawią również węglowodany. Jest to zatem doskonałe źródło energii. Istnieje niebezpieczeństwo, że psy, które dostają dużo suchej karmy, stają się grube, nie będąc nigdy pełne.

Ponieważ karma nie śmierdzi, nawet jeśli pozostaje w misce przez wiele dni, wielu właścicieli psów ma tendencję do pozostawiania suchej karmy w misce przez cały czas. Gdy tylko jest pusta, napełniają ją. Niestety, wiele psów je tak długo, aż w ich żołądkach nic nie zostanie - to pozostałość po wilku. Wilk musiał działać w ten sposób, ponieważ nie wiedział, kiedy uderzy w kolejną ofiarę. Nie jest więc wskazane dawanie psu stałego dostępu do jedzenia.

Mięsisty wygląd jest zwodniczy. Suszonka to nie suszone mięso, ale ciasto, które najczęściej jest produkowane metodą ekstruzji. Maszyna wtłacza ciasto do formy za pomocą wysokiego ciśnienia i pary. Ciepło rozkłada węglowodany, dzięki czemu są one łatwiejsze do strawienia. W efekcie powstały krokiety, których prawdopodobnie żaden pies by nie tknął. Tylko powłoka tłuszczu, witamin i białka sprawia, że są one interesujące dla większości psów.

Skład suszu paszowego (przykład)

	Tania pasza	Specjalna karma dla Akitów
Skład	Zboża Mięso i produkty uboczne pochodzenia zwierzęcego Roślinne produkty uboczne Oleje i tłuszcze Warzywa Minerały	Ryż Suszony kurczak Greaves Marchewki Tłuszcz z kurczaka Całe jajko Olej rzepakowy Inulina Olej lniany Drożdże
Białko	19%	24,6 %
Tłuszcz	7,5 %	14 %
Popiół surowy	7,5 %	5,6 %
Włókno surowe	3 %	1,3 %

Wysokiej jakości pasza zawiera znacznie więcej białka i tłuszczu. Dodatkowo wiadomo, jakie zboże i jakie mięso się w nim znajduje. Produkty uboczne pochodzenia zwierzęcego i roślinnego nie są obecne w specjalnej karmie.

Jeśli więc chcesz podawać suchą karmę, przestrzegaj dokładnie dawkowania i wybierz produkt wysokiej jakości.

Surowe jedzenie dla psa

W ostatnim czasie coraz więcej miłośników zwierząt przekonuje się do biologicznie właściwego gatunkowo karmienia surowym mięsem (BARF). W staraniach o stwierdzenie alergii korzystne jest oczywiście karmienie czystym mięsem, ale nie musi być ono surowe. Gotowanie uważa się za jeden z najważniejszych kroków ewolucyjnych człowieka, ponieważ dopiero gotowanie umożliwiło mu efektywne spożywanie pokarmów. Przez tysiąclecia układ pokarmowy dostosował się do tego. Każdy, kto dziś uważa, że dieta Paleo, czyli dieta ludzi z epoki kamiennej, jest najlepsza, ignoruje długą historię ewolucji.

Psy towarzyszą człowiekowi od 20 tysięcy lat. Jest mało prawdopodobne, że ludzie karmili psy wyłącznie najcenniejszym pokarmem, jaki mieli, czyli mięsem. Bezpośredni przodkowie Akitów, Matagi Inus, z pewnością często znajdowali w swoich miskach wnętrzności i ości ryb, a także resztki warzyw i tym podobne pozostałości po ludzkich posiłkach.

Badanie przeprowadzone przez LMU (Ludwig-Maximilians-Universität) w Monachium poddaje w wątpliwość, czy BARF jest dobrą formą żywienia. Naukowcy zbadali 95 planów żywieniowych BARF, które przekazali im właściciele psów. 57, czyli 60 procent, miało poważne braki. Na przykład 10 % pokrywało mniej niż jedną czwartą zapotrzebowania psa na wapń, a mniej więcej tyle samo dawało zwierzętom trzykrotnie większą ilość. Jedna czwarta planów miała niedobór witaminy A.

Swoją drogą, ani ludzie, ani psy nie powinny jeść wszystkiego na surowo. Rośliny strączkowe i ziemniaki są strawne tylko po ugotowaniu. Psy powinny też bardzo uważać na śledzie, makrele, karpie, dorsze, szczupaki i sardynki. Ryby te zawierają białko awidynę, która wiąże witaminę biotynę.

Oczywiście nie ma nic złego w podawaniu psu surowego mięsa jeden lub dwa dni w tygodniu. Większość Akit uwielbia gryźć mięsną kość.

Przekąski i czyszczenie zębów

Małe smakołyki służą jako nagroda, możesz nimi nagradzać swojego Akitę podczas treningu, aby nie stracił tak szybko zainteresowania. Zamiast "herbatników" daj małe kostki suszonego mięsa.

Do czyszczenia zębów i przy wymianie zębów najlepiej podawać psu kości do żucia ze skóry lub skóry bawolej. Dobrym rozwiązaniem są również kopyta. Wątpliwości budzą suszone świńskie uszy, zwłaszcza że wiele psów jest uczulonych na wieprzowinę i istnieje ryzyko zarażenia psa wirusem Aujeszky. Wirus powoduje śmiertelne zapalenie nerwów i mózgu (pseudo wścieklizna).

Nie jest pewne, czy suszenie lub ogrzewanie zabija wirusa. W Niemczech nie ma świń domowych zakażonych wirusem. Ale suszone produkty mogą być również importem z odległych krajów.

Zdrowie

Nawet najzdrowszy pies musi chodzić do weterynarza. Z tego powodu ważne jest, abyś przygotował do tego siebie i swoją Akitę.

Ubezpieczenie zdrowotne

Oczywiście firmy ubezpieczeniowe chcą osiągać zyski. Dlatego zwykle płacisz więcej w składkach ubezpieczeniowych, rozłożonych na całe życie psa, niż kosztowałby cię weterynarz. Nie należy jednak tak łatwo podejmować decyzji.

O ile nie masz salda kredytowego, które pozwala na pokrycie nawet bardzo wysokiego rachunku za weterynarza w każdej chwili, czynnik czasu odgrywa rolę. Weterynaryjne ubezpieczenie zdrowotne pokryje wszystkie koszty już po kilku miesiącach. Rada, aby co miesiąc oszczędzać kwotę odpowiadającą wysokości składki, na nic się zda, jeśli Twoja Akita ulegnie poważnemu wypadkowi w młodym wieku. Żadna klinika weterynaryjna nie zgodzi się na to, abyś płacił za leczenie w małych ratach przez 10 lat.

Dodatkowo możesz mieć nieszczęście, że Twoja Akita zachoruje i konieczne będzie wiele kosztownych zabiegów. W takich przypadkach ubezpieczenie jest wielokrotnie tańsze. Przyjrzyj się jednak dokładnie stawkom.

Przede wszystkim rozróżnia się kompleksowe ubezpieczenie zdrowotne, ubezpieczenie kosztów operacji oraz ubezpieczenie od następstw nieszczęśliwych wypadków.

Kompleksowe ubezpieczenie zdrowotne pokrywa wszystkie niezbędne koszty weterynaryjne, ale zazwyczaj tylko część kosztów szczepień. Niektóre firmy nie pokrywają czystych badań, na przykład dla świadectwa zdrowia.

Taryfy są stosunkowo drogie. Przy wykupieniu polisy zazwyczaj obowiązuje limit wieku. W niektórych przypadkach istnieją górne limity świadczeń lub ustalony jest udział własny na rok lub na diagnozę. Z reguły ochrona ubezpieczeniowa jest uzależniona od tego, czy pies otrzyma określone szczepienia. Ponadto, pełne świadczenia są zazwyczaj wypłacane dopiero po okresie oczekiwania. Zabiegi, które stają się konieczne w wyniku wypadku, który miał miejsce po zawarciu umowy, są zwykle pokrywane przez towarzystwo od razu.

Ubezpieczenie kosztów chirurgicznych jest znacznie tańsze, ale często pokrywane są tylko czyste koszty operacyjne. Niektóre taryfy pokrywają również koszty badań wstępnych i kontrolnych oraz leków. Możliwe są również okresy oczekiwania i limity świadczeń. Często jednak istnieje możliwość wykupienia ubezpieczenia dla starszych zwierząt.

W przypadku ubezpieczenia od następstw nieszczęśliwych **wypadków** firmy ubezpieczeniowe pokrywają jedynie koszty leczenia, które stają się konieczne w wyniku wypadku. Stawki są bardzo korzystne, nie ma okresu oczekiwania i limitu wieku.

Uwaga: Skala opłat dla lekarzy weterynarii (GOT) pozwala lekarzowi na pobieranie opłat do trzykrotności podstawowej wartości usługi. Często firmy pokrywają tylko pojedynczą stawkę. Dlatego też, nawet przy pełnym ubezpieczeniu, możesz otrzymać zwrot tylko części rachunku za lekarza.

Szczepienia

Każde szczepienie wiąże się z ryzykiem, dlatego zawsze należy rozważyć jego korzyści. Należy również zwrócić uwagę na zalecane odstępy czasowe dla szczepień przypominających. Dziś coroczne szczepienia zalecane są tylko przeciwko kilku chorobom. Czasami lepiej jest zlecić oznaczenie statusu miana przeciwciał we krwi, zamiast obciążać organizm kolejnymi szczepieniami.generalnie wszystkie psy powinny być zaszczepione przeciwko nosówce, wirusowemu zapaleniu wątroby, parwowirozie, leptospirozie i wściekliźnie. W Niemczech wścieklizna jest uważana za wymarłą, ale w przypadku podróży zagranicznych, pobytu w hodowlach z wyżywieniem lub na wystawach istnieje obowiązek udowodnienia ochrony szczepień. Szczepienie przeciwko kaszlowi kenelowemu jest ważne dla szczeniąt z niepewnego pochodzenia. Psy z dobrych domów nie potrzebują tego szczepienia.

"Wytyczne dotyczące szczepień małych zwierząt" (StlKo Vet.) zostały podsumowane w poniższej tabeli:

Oznaczenie	Choroba	Częstotliwość szczepień
Distemper	Przyczyna: wirus nosówki psów (CDV, Canine Distemper Virus)	Podstawowe szczepienia ochronne:
	Uwaga: wysoka gorączka (do 41°C), utrata apetytu i apatia.	8, 12, 16 tygodni
	W zależności od narządu dotkniętego chorobą:	15 miesięcy
	Biegunka i gwałtowne wymioty,	Szczepienie przypominające: co 3 lata
	Kichanie, kaszel, duszności, wydzielina z nosa, "dmuchanie w policzki" i świszczący oddech.	
	Kiedy układ nerwowy jest dotknięty, pies zwykle umiera.	

Wirusowe zapalenie wątroby	Czynnik sprawczy: Canine adenovirus-1 (CAV-1). Uwagi: śmiertelne zapalenie wątroby u psów. Zwykle występuje tylko w niehigienicznych warunkach życia.	Podstawowe szczepienia ochronne: 8, 12, 16 tygodni 15 miesięcy Szczepienie uzupełniające: (co 3 lata) może być pominięte, jeśli warunki życia są higieniczne.
Parwowirus	Przyczyna: parwowirus psów (CPV) Uwagi: Krwawa biegunka, silne wymioty Młode zwierzęta zazwyczaj giną, Dobre rokowania, jeśli przeżyją 5 dzień. Możliwe zapalenie mięśnia sercowego. Chorobą mogą zarazić się również koty.	Podstawowe szczepienia ochronne: 8, 12, 16 tygodni 15 miesięcy Szczepienie przypominające: co 3 lata Przydatne oznaczanie miana
Lepto-spirosis	Choroba jest wywoływana przez różne bakterie z rodzaju Leptospira i może dotyczyć wszystkich ssaków, ale rzadko występuje u kotów. Do zakażenia może dojść bezpośrednio przez kontakt z chorym zwierzęciem lub pośrednio przez skażoną żywność lub wodę. Często dzieje się tak, gdy psy piją z kałuż wodę zanieczyszczoną moczem myszy. Choroba objawia się gorączką, niechęcią do jedzenia, wymiotami, sztywnością, drżeniem i ogólnym osłabieniem. Może też dojść do nagłej śmierci z powodu niewydolności nerek, bez wcześniejszych objawów. W porę podjęte leczenie antybiotykami jest zwykle skuteczne.	Podstawowe szczepienia ochronne: 8, 12, 16 tygodni 15 miesięcy Szczepienie przypominające: corocznie

Wścieklizna	wirusy z rodzaju Lyssaviruses z rodziny Rhabdoviridae. Wirus atakuje ośrodkowy układ nerwowy. Psy zazwyczaj stają się agresywne, niespokojne i bez powodu nieustannie szczekają. Później dochodzi do paraliżu. Niemcy są uważane za wolne od wścieklizny, ale nadal zdarzają się pojedyncze ogniska spowodowane nielegalnym importem zwierząt. Szczepienia są nadal obowiązkowe przy wyjazdach za granicę.	Podstawowe szczepienia ochronne: 12, 16 tygodni 15 miesięcy Po szczepieniu: Co 3 lata
Kaszel kenelowy	Kaszel jest wywoływany przez różne patogeny. Najczęściej przez Canine Parainfluenza Virus (CPIV, Paramyxoviridae) i bakterię Bordetella bronchiseptica. Szczepienia zapewniają ograniczoną ochronę przed zakażeniem tymi dwoma patogenami. W większości przypadków prowadzi jedynie do łagodnego przebiegu. To, czy szczepienie jest przydatne, zależy od warunków hodowlanych.	Podstawowe szczepienia ochronne: 8 tygodni 15 miesięcy Szczepienie przypominające: corocznie

Gdy szczenięta są ssane przez zaszczepioną sukę, pierwsze podstawowe uodpornienie ma miejsce w 12 tygodniu. Małe pieski są chronione przed infekcjami przez matkę.

Kastracja psów

Inaczej niż w przypadku kotów, prawo zabrania rutynowej kastracji psów. Amputacja części ciała jest karalna i może być przeprowadzona tylko wtedy, gdy istnieją ku temu ważne powody. Koty, które zwykle włóczą się po ulicach bez nadzoru, bardzo by się rozmnożyły, gdyby nie zostały wykastrowane. W przypadku psów istnieją wystarczające metody zapobiegania niechcianemu potomstwu, w tym sterylizacja, w której wycina się tylko plemniki lub jajowody. Natura zwierzęcia i popęd płciowy pozostają nienaruszone.

Kastracja samców psów, czyli usunięcie jąder, może być konieczna, jeśli zwierzę zachoruje na zaburzenia hormonalne. Z kolei zapobieganie rakowi jądra nie jest zwykle wystarczającym powodem, ponieważ operacja zwiększa ryzyko powstania nowotworu w prostacie, śledzionie, sercu czy kościach.

U suk często podaje się, że u co czwartej suki, która nie jest kastrowana, do 10 roku życia rozwija się pyometra i wzrasta ryzyko ciąży, raka macicy lub nowotworu macicy. Profilaktyczna kastracja nie jest też wskazana u suk, ponieważ istnieje ryzyko powstania guzów na śledzionie, sercu, kościach czy odbycie. Jeśli jednak suka regularnie zachodzi w ciążę, operacja jest zwykle jedynym sposobem.

Jeśli samce psów cierpią wyjątkowo na popęd płciowy z powodu samic w rui w okolicy, istnieje możliwość kastracji chemicznej za pomocą chipa, który uwalnia hormony. Suki zazwyczaj wchodzą w ruję tylko dwa razy w roku. Jeśli przechodzą w wieczną ruję, wskazana jest operacja usunięcia jajników i macicy.

Ciąży można stosunkowo łatwo zapobiec. Suka w rui musi być trzymana na smyczy, a jej właściciel musi dopilnować, aby żaden samiec nie zbliżał się do niej. Dzięki tabletkom chlorofilowym można dość dobrze stłumić typowy zapach, który przyciąga samców, aby zapobiec gromadzeniu się w pobliżu domu zbyt wielu adoratorów.

Tabletki nie wystarczą do ochrony przed ciążą, bo czworonogi z kawalerów zauważają z bliska, kiedy samica jest gotowa do kopulacji. Ale akt godowy nie następuje w ciągu kilku sekund. Jak to zwykle bywa z drapieżnikami, najpierw zwierzęta muszą zmniejszyć swoją agresję. Oznacza to, że gonią się ze sobą i romansują. Ludzie często są zadowoleni, że psy tak dobrze się dogadują i bawią. Jednak w rzeczywistości jest to wstęp do krycia, dlatego jako właściciel suki w rui nie możesz tego tolerować. Chyba, że potomstwo jest pożądane. Koniecznie porozmawiaj o tej kwestii z lekarzem weterynarii.

Więcej na ten temat przeczytaj w rozdziale "Sytuacje szczególne - Spotkanie z innymi psami".

Kontrola pasożytów

Niestety, niektórych plotek nie da się uśpić, a psi eksperci w szczególności lubią promować domowe środki przeciwko pchłom i kleszczom, które w najlepszym wypadku przeszkadzają twojej Akicie. W najgorszym wypadku mogą nawet zaszkodzić jego zdrowiu.

Pchły i kleszcze mają dość słaby zmysł węchu. Tylko nieliczni krwiopijcy reagują na zapach potu, którego psy nie roznoszą w takim stopniu jak ludzie. Szok, ciepło i wzrost zawartości dwutlenku węgla w powietrzu to sygnały, dzięki którym krwiopijcy rozpoznają bliskość żywiciela. Nie można ukryć tych trzech oznak za pomocą biologicznych środków przeciw pchłom, oleju pistoletowego w sierści lub czosnku w karmie. Pory są trujące dla psów i dlatego zupełnie się nie nadają.

Zwalczanie infestacji pcheł

Dużym problemem z pchłami jest to, że tylko około 5% pcheł żyje na psie. Swoje potomstwo, larwy, karmią swoimi odchodami. Samice w ciągu swojego trzytygodniowego życia składają około 2500 jaj, które podstępnie wydostają się z futra. Twój Akita roznosi je wszędzie, gdzie chodzi, stoi lub leży. Po kilku dniach wylęgają się larwy, które chowają się w szczelinach, ponieważ łatwo wysychają. Żywią się odchodami, które stale wydzielają pchły żyjące na psie. Rosną i przechodzą kilka wylinek, ponieważ chitynowy pancerz nie rośnie wraz z nimi. W końcu larwy przepoczwarzają się.

Dorosłe pchły wylęgają się z nich, gdy wibracje oraz wzrost ciepła i dwutlenku węgla wskazują, że w pobliżu znajduje się żywiciel. Teraz cykl zaczyna się od nowa. Jaja i poczwarki można usunąć odkurzaczem, larwy również zginą. Larwy i dorosłe pchły również poszukują środków owadobójczych. Zabieg jest czasochłonny i uwieńczony sukcesem tylko wtedy, gdy konsekwentnie używasz odkurzacza i jednocześnie zwalczasz pchły na psie.

Bardzo mało psów jest zarażonych pchłami psimi, które nie przechodzą na inne zwierzęta. To prawie zawsze pchły kotów, które infekują psa i przechodzą do wszystkich ssaków, a także ludzi. Pchła kocia jest ważnym żywicielem pośrednim dla tasiemca ogórkowego i przenosi patogeny takie jak mykoplazma, Bartonella henselae czy Rickettsia felis. Infestacja jest więc czymś więcej niż tylko uciążliwością. Zagraża to zdrowiu Akity.

Ukąszenia pcheł prowadzą do ekscytującego swędzenia, które powoduje, że psy i ludzie drapią się. To z kolei często prowadzi do zaognionych ran i silnych wyprysków, zwłaszcza że u wielu psów rozwija się alergia na ślinę pcheł.

Częste drapanie, nagłe wyskakiwanie i gryzienie to oznaki, że Twoją Akitę nękają pchły. Wyczesać go u nasady ogona i pod pachami grzebieniem na pchły. Stuknij grzebieniem o wilgotny biały papier. Jeśli na tym papierze małe czarne kropki przebiegają w rdzawo-czerwonych miejscach, twój pies ma pchły.

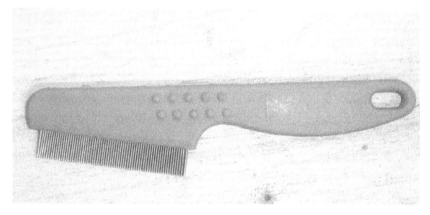

Ilustracja 5: Nasz grzebień do pcheł jako przydatne narzędzie, ©

Konwencjonalne zwalczanie pcheł to długotrwały proces. W przypadku spot-onów lub obroży przeciw pchłom, zwalczasz tylko te pchły, które aktualnie żyją na psie. Larwy można zabić za pomocą sprayu środowiskowego. Najskuteczniejszy produkt, permetryna, nie powinien być stosowany, jeśli w domu są koty. Nie tolerują one środków owadobójczych.

W ostatnich latach utrwalił się 3-punktowy program przeciwko pchłom, który dość szybko prowadzi do sukcesu.

1. Podają psu lek, który zapobiega wylince larw. Zazwyczaj weterynarz przepisuje tabletki Lufenuron.
2. Po kilku dniach zabić pchły na psie za pomocą tabletek Nitenpyram. Niszczy je w ciągu kilku godzin.
3. Odkurz dokładnie mieszkanie, aby usunąć wszelkie pozostałe poczwarki i jaja.

W przypadku zarażenia wszami i włosami wystarczy jeden zabieg, gdyż te żyją na psie. W przypadku ciężkiej infestacji pcheł, często trzeba to leczyć kilka razy.

Zwalczanie kleszczy

Pajęczaki są zwykle zabijane przez obroże przeciw pchłom dopiero po dniach. Istnieje ryzyko, że w fazie śmierci zwymiotują do krwi psa. Patogeny boreliozy, kleszczowego zapalenia mózgu (wczesnoletnie zapalenie opon mózgowych) lub anaplazmozy psów (erlichioza granulocytarna) mogą dostać się w ten sposób do Twojego Akity. Obroże zawierające permetrynę zwykle zabijają kleszcze zanim zostaną one wessane. Ponieważ szkodzą one kotom, nawet jeśli pies cię nosi, są nieodpowiednie, jeśli twój pies ma kontakt z kotami.

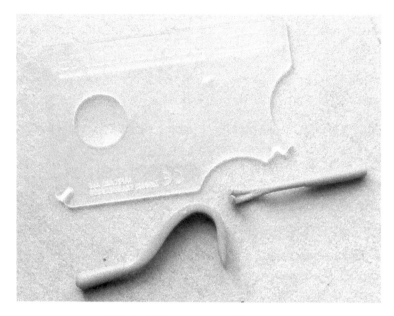

Zdjęcie 6: Nasz zestaw na kleszcze, ©

Dlatego lepiej po każdym spacerze sprawdzić, czy pies nie ma kleszczy. Zajrzyj pod pachy i dokładnie zbadaj okolice ust, nosa, oczu i uszu, bo tam właśnie kleszcze lubią się przyczepiać. Usuń krwiopijców za pomocą karty kleszczowej lub haka na kleszcze. Narzędzie ma szczelinę, w którą klinuje się kleszcza. Wcisnąć go między skórę psa a główkę kleszcza, musi być mocno wbity w otwór. Teraz oderwij narzędzie po przekątnej do góry. Im szybciej usuniesz kleszcza, tym mniejsze prawdopodobieństwo, że przeniesie on chorobę. Jeśli część głowy pozostaje, to zazwyczaj nie jest to problem. Zawsze należy zdezynfekować miejsce ukąszenia. Jeśli dojdzie do zakażenia, należy skonsultować się z weterynarzem.

Ważne:

Zbadaj psa przed wejściem z nim do domu i usuń kleszcze na zewnątrz. Zbieraj usunięte zwierzęta na kartce papieru, którą następnie składasz i palisz. Zapobiegnie to przedostawaniu się kleszczy do domu.

Robaki

Psy są szczególnie podatne na zakażenia robakami. Za każdym razem, gdy wychodzą na spacer, ich nos jest przy ziemi, a zwierzęce odchody są również dokładnie badane. Wiele psów nawet sporadycznie je połyka. Nie można uniknąć kontaktu z jajami robaków.

Szczenięta, których organizm jest jeszcze zbyt słaby, aby poradzić sobie z infekcją robakową, powinny otrzymywać kurację odrobaczającą co 2 do 4 tygodni. Później wystarczy podać kurs leczenia co 3 miesiące. Jeśli jednak pies ma kontakt z małymi dziećmi, wskazana jest comiesięczna kuracja odrobaczająca. Robakami mogą zarazić się również dzieci.

Zapytaj weterynarza o odpowiednie leki na odrobaczanie. Wykazano, że pasożyty po pewnym czasie uodparniają się na działanie leku. Z tego powodu ważne jest, aby regularnie je zmieniać. Weterynarz powinien więc prowadzić w jego kartotece rejestr przepisanych leków, a także prowadzić paszport odrobaczania.

Rozważania przed zakupem

Akita Inus jeszcze bardziej niż inne psy cierpi z powodu zmiany właściciela. Dlatego dobrze się zastanów, czy dasz sobie radę z tym wrażliwym zwierzęciem. Przede wszystkim muszą być spełnione wymogi prawne dotyczące utrzymywania zwierząt w sposób właściwy dla danego gatunku.

Prawna

Co do zasady, najemcy mogą trzymać psa tylko za pisemną zgodą wynajmującego. Właściciel nie może odmówić zgody bez uzasadnionej przyczyny, ale nie oznacza to, że masz prawo po prostu trzymać psa.

Pozwolenie zawsze odnosi się do konkretnego psa. Nie można więc wywodzić pozwolenia na Akitę z faktu, że pozwolono na trzymanie jamnika. Nie ma też znaczenia, czy inni lokatorzy mają psa. Właściciel może uznać za naruszenie zaufania zdobycie psa bez konsultacji z nim.

W przypadku psów istnieje tzw. odpowiedzialność na zasadzie ryzyka. Musisz więc zapłacić za szkody, które prawdopodobnie spowodował Twój pies. Ciężar dowodu jest odwrócony, tzn. to Ty musisz udowodnić, że Twój pies nie spowodował szkody. Z tego powodu Twoje prywatne ubezpieczenie OC nie zapłaci za taką szkodę. Musisz wykupić polisę OC właściciela psa.

Nawet dobrze wychowany pies może wyrządzić wiele szkód. Nie zawsze chodzi o gryzienie. Może przewrócić coś cennego w domu sąsiada lub nawet być odpowiedzialna za upadek człowieka. Niektóre miasta nalegają na wykupienie takiego ubezpieczenia.

Dowiedz się również o wymaganiach gminy i o tym, gdzie możesz wypuścić psa poza zasięgiem smyczy. Jeśli nie jest to możliwe w najbliższym otoczeniu, pies musi mieć przynajmniej możliwość swobodnego biegania w dużym ogrodzie.

Czy ta rasa mi odpowiada

Jak opisano w części dotyczącej charakteru, Akity to dumne psy, które niełatwo wyszkolić. Dla Ciebie oznacza to, że nie przeszkadza im ciągłe myślenie o pokazaniu psu, kto jest szefem. Musisz konsekwentnie i stanowczo wyznaczyć mu jego miejsce w stadzie. Nie wolno mu siedzieć w łóżku, na kanapie ani w fotelu, bo na wyższych miejscach mogą siedzieć tylko starsi członkowie stada. On dostaje swoje jedzenie jako ostatni.

Ćwiczenia dyscyplinujące, dzięki którym można szybko przypomnieć owczarkowi niemieckiemu o jego randze, nie sprawdzają się na przykład w przypadku Akity. Może nawet założyć, że ty, jako przywódca stada, okazujesz słabość, jeśli ciągle wydajesz polecenia, które w jego oczach są bez znaczenia. Staje się to krytyczne, jeśli zdajesz sobie z tego sprawę dopiero wtedy, gdy pies odmawia. Sygnalizujesz mu, że rzeczywiście masz słabość przywódczą.

Sprawdź samokrytycznie, czy zawsze jesteś przygotowany do działania z największą konsekwencją. Zastanów się też, czy potrafisz być wystarczająco stanowczy. Błędem jest branie Akity do łóżka z litości lub karmienie jej przed jedzeniem przez ludzi.

Nadgorliwy strażnik

Czujność psów jest często problematyczna. Z pewnością wspaniale jest mieć czujnego psa u boku, ale Akity przesadzają, jeśli nie są nauczone granic. Radość z tego, że pies chroni Twoje dzieci, zmienia się w konsternację, gdy Akita nie pozwala już Twoim dzieciom bawić się z innymi dziećmi. Zdarza się, że czujny pies nie będzie tolerował nikogo w pobliżu. Znajomy, którego pies nie zna, to obcy. Może uznać uścisk na powitanie za atak i bronić cię.

Z ważnych powodów Akity nie powinny być szkolone jako psy ochronne. Pies stróżujący uczy się gryźć na komendę i puszczać ofiarę, gdy przewodnik tego zażąda. Akita natomiast sam decyduje, kiedy ugryźć i nie puszcza na komendę. Dlatego ważne jest, aby od początku konsekwentnie zabraniać psom tej rasy gryzienia. Mogą jednak warczeć i pokazywać zęby.

Jako zwierzę stadne precyzyjnie rozróżnia członków "stada" od obcych. Do stada należy rodzina jego właściciela, w tym inni przedstawiciele tego samego gatunku mieszkający w domu oraz inne zwierzęta domowe. Będzie ich bronił bezwarunkowo w każdej chwili. Obcy, w jego oczach, to albo konkurenci, którzy go odpędzają, albo wrogowie, którzy chcą zaszkodzić stadu. Instynkt podpowiada Akicie, żeby je przegonić lub podporządkować. Dzięki treningowi uczy się ignorować obcych.

Czy czujesz się na siłach, by odpowiednio wyszkolić Akitę?

Czy stać mnie na psa?

Szczenię z dobrej hodowli kosztuje zwykle ponad 1500 euro. Wraz z przejęciem masz kolejne zobowiązania finansowe.

Pomyśl o kosztach związanych z utrzymaniem psa. Na jedzenie trzeba będzie wydać około 100 euro miesięcznie.

Do tego dochodzą koszty ubezpieczenia odpowiedzialności cywilnej i ubezpieczenia zdrowotnego zwierząt, chyba że masz środki na samodzielne opłacenie nawet wysokiego rachunku weterynaryjnego. Kompleksowe ubezpieczenie zdrowotne, które obejmuje również leczenie stomatologiczne kosztuje do 200 euro miesięcznie, wliczając w to OC.

W zależności od gminy i liczby psów, podatek od psów kosztuje od 100 do 200 euro rocznie.

Więc oblicz z około 200 do 300 euro, które musisz wydać co miesiąc, aby zapewnić swojemu psu najlepszą możliwą opiekę.

Szczeniak czy dorosłe zwierzę?

Idea zakupu dobrze wychowanego dorosłego Akity jest oczywista, ponieważ ułatwia to ich utrzymanie. Niestety, pomysł ten rzadko jest wprowadzany w życie. Mało który właściciel oddaje Akitę, która jest dobrze wychowana i nie sprawia problemów. Zazwyczaj to zwierzęta, z którymi właściciele nie mogą sobie poradzić, są reklamowane jako distress sales ze względu na relokację lub podobne.

Osoby, które chcą sprzedać swojego psa, nie powiedzą Ci, że pozbywają się go, bo ugryzł dziecko lub ma inne, często niebezpieczne dziwactwa. Zapytaj po sąsiedzku o psa. Jest to często jedyny sposób, aby dowiedzieć się, jaki charakter ma naprawdę zwierzę.

Nawet nabycie szczeniaka nie jest całkowicie pozbawione ryzyka, ponieważ powinien on być już zsocjalizowany, czyli znać różnych ludzi, zwierzęta i codzienne sytuacje. Szczenię, które mieszkało w hodowli z matką, będzie miało problem z dopasowaniem się do rodziny.

Nigdy nie kupuj psa "z buta". Nic nie wiesz o tym zwierzęciu. Najczęściej pochodzi z hodowli, gdzie suki są wykorzystywane jako maszynki do rodzenia. Zwierzęta nie umieją wchodzić w interakcje z ludźmi, są zabierane od matek zdecydowanie za wcześnie i często są poważnie chore. Zgłaszajcie takich dostawców zamiast wspierać takie machinacje zakupem.

Mężczyzna czy kobieta?

Większość kupujących chce mieć psa płci męskiej, ponieważ boi się niechcianego potomstwa. Jak opisano w rozdziale "Kastracja" i "Spotkanie z innymi psami", można łatwo zapobiec niechcianemu miotowi. Suka jest zazwyczaj lepszym wyborem. Zwykle jest bardziej towarzyska w temperamencie niż samce i nie ma tendencji do dążenia tak bardzo do pozycji władzy w stadzie. Spotkania z innymi psami są również zazwyczaj pokojowe, ponieważ suki nie traktują osobników jako konkurentów.

Kiedy jest w rui dwa razy do roku, wydziela trochę krwi. To może poplamić dywan lub ubrania, jeśli nie założysz jej majtek. Z psychologicznego punktu widzenia większość suk radzi sobie całkiem dobrze, jeśli nie są kryte.

Samce mogą jednak wyjątkowo cierpieć, gdy mieszkająca w pobliżu samica ma ruję. Nie wyją i nie jedzą, niektóre nawet próbują się gwałtownie wyłamać. Samiec, który chce trafić do gotowej do krycia suki, może być niezwykle trudny.

Socjalizacja

Ilustracja 7Dwa psy i kot

Akity są niezwykle zafiksowane na punkcie swojego stada. Po wprowadzeniu się do nowego domu zaakceptują każdego mieszkającego tam współlokatora. Do 20 tygodnia życia szybko uczą się, gdy dołączają do nich nowi "członkowie rodziny", czy to na 2 czy na 4 nogach. Później staje się to trudne. Psy mają tendencję do odpędzania obcych, zamiast witać ich w stadzie.

Generalnie ważne jest, aby do 20 tygodnia życia zapoznać Akitę z jak największą ilością nowych doświadczeń. Zapewnienie kontaktu z różnymi osobami w różnym wieku, w tym z osobami korzystającymi z laski, chodzika, wózka inwalidzkiego lub roweru czy rolek itp. Inne różnice, takie jak brody, kapelusze, kaski czy okulary przeciwsłoneczne również powinny być uwzględnione w szkoleniu.

Zabierz młodego Akitę do szkoły dla psów lub w miejsca, gdzie psy mogą biegać bez smyczy. Dzięki temu będzie łatwiej, gdy później spotka inne psy. Przydatny jest również pozytywny kontakt z małymi zwierzętami i kotami. Nigdy jednak nie należy pozwolić mu na ich gonienie.

Wskazówki dotyczące pozyskiwania

- Sprawdź w stowarzyszeniu dla hodowców w okolicy lub poszukaj w Internecie hodowców, którzy są w stowarzyszeniu.

- Zapoznaj się z hodowcami poprzez stronę główną, zanim się z nimi skontaktujesz. Mimo wysokiej ceny szczeniąt, popyt przewyższa podaż. Pamiętajcie o tym fakcie. Ubiegasz się o szczeniaka. Hodowca decyduje o tym, czy dać Ci jedno ze swoich zwierząt.

- Zazwyczaj zapyta Cię o Twoje warunki życia. Ważne jest, aby wiedział, jak jego pies będzie żył z tobą. Bądź sceptyczny, jeśli hodowca wydaje się nie dbać o to, komu sprzedaje psa.

- U dobrych hodowców jest to sprawa oczywista, że można odwiedzić szczeniaki. Nie pozwoli jednak na to bez ograniczeń, bo wizyta obcych denerwuje zwierzę macierzyste. Może się więc zdarzyć, że szczenięta można zobaczyć tylko wtedy, gdy hodowca jest w ogrodzie. Mimo wszystko zadbaj o to, aby matka i młode żyły w rodzinie.

- Nalegaj na papiery, które mają pieczęć zatwierdzenia z VDH / FCI (Międzynarodowa Federacja) lub Akita Club e. V.. Otrzymują je tylko psy urodzone u hodowców, którzy przestrzegają ścisłych zasad ustanowionych dla dobra zwierząt. Niestety wątpliwi hodowcy oferują również Akity z rodowodem. Jest to jednak zazwyczaj produkt fantastyczny, nie przedstawiający żadnej wartości.

- Kupując dorosłą Akitę, sprawdź u sąsiadów sprzedającego. To zły znak, jeśli sąsiedztwo jest szczęśliwe, gdy pies znika. Nie kupuj, jeśli dowiesz się, że pies prawdopodobnie ugryzł.

- Nalegaj na papiery nawet przy zakupie dorosłego zwierzęcia. Sprawdź, czy chip psa ma ten sam numer, co na karcie szczepień i odnotowany w innych dokumentach. Każdy, kto legalnie posiada Akitę, będzie miał przynajmniej książeczkę szczepień. Przypuszczalnie pies został skradziony, skoro sprzedawca nie może przedstawić dokumentów.

Zakupy dla psa

Pewne podstawowe wyposażenie powinno być dostępne dla psa. Daje to możliwość natychmiastowego przypisania obszarów i rzeczy, które są przeznaczone dla małego psa.

Miski i miejsce do spania

Nie, bez względu na to, jak bardzo szczeniak skomli i błaga, nie wolno mu spać w łóżku. Kiedy wprowadza się do twojego domu, jego dziecięce dni się skończyły. Musi się nauczyć, gdzie jest jego miejsce w stadzie. Korzystanie z podwyższonych miejsc takich jak łóżka, fotele i kanapy jest dozwolone tylko dla starszych członków stada, czyli ludzi. Pies potrzebuje więc od pierwszego dnia własnego koszyka lub legowiska.

Pamiętaj, że kosze wykonane z prawdziwej wikliny trudno utrzymać w czystości. Ponadto niejeden Akita podczas wymiany zębów przegryzł swój koszyk. Dlatego lepszym rozwiązaniem jest zmywalne legowisko dla psa. Kup jednak ogromne łóżko, nawet jeśli masz wrażenie, że szczeniak będzie się w nim gubił. Zbuduj w psim legowisku gniazdo z polarowego koca, jeśli masz wrażenie, że duże łóżko jest dla niego przerażające.

Dorosły Akita ma grzbiet długości do 70 cm i wysokość ramion 70 cm, dlatego legowisko powinno mieć wymiary wewnętrzne 90 na 70 cm. Oczywiście, psy często zwijają się we śnie. Wiele osób też tak robi, ale raczej nie byliby zachwyceni, gdyby ich łóżko miało tylko 120 x 60 cm. Pies musi też umieć położyć się w łóżku w pozycji zrelaksowanej, bez wyginania pleców i zginania nóg.

Kiedy szczeniak zamieszka z Tobą, potrzebujesz chłonnych podkładek. Są one dostępne jako wkładki dla szczeniąt w sklepach zoologicznych lub jako wkładki dla osób nietrzymających moczu w drogeriach. Podkładki stosuje się po to, aby mały piesek mógł załatwiać swoje sprawy w domu bez wyrządzania szkód. Małe wpadki zdarzają się na początku cały czas. Takie maty są również dobre do ochrony legowiska, jeśli Twoja Akita bardzo zmoknie. Są one również bardzo przydatne podczas szkolenia domowego.

Twój Akita potrzebuje również misek na jedzenie i misek na wodę wykonanych z ceramiki lub kamienia. Materiały te są ciężkie, więc pies nie może tak łatwo przewrócić miski. W przeciwieństwie do metalu czy plastiku są bez smaku i nie wydzielają toksyn, o ile szkliwo jest bezpieczne dla żywności. Uwaga: kolorowa ceramika z zagranicy zwykle nie jest. Najlepiej, gdy miski nadają się do zmywarki.

Zdjęcie 8: Nasze miski są ekstra ceramiczne.

W zależności od wielkości, jaką osiągają psy, miski powinny mieścić około 3/4 litra. Płytkie miski są jednak bardziej odpowiednie dla małych szczeniąt.

Uprząż piersiowa i smycz

Ludzie zawsze mówią, że obroża jest lepsza i bardziej praktyczna niż szelki. Poza tym Akity nie można było prowadzić na szelkach.

Zakładanie obroży jest oczywiście szybsze. W przypadku szczeniaka, który nie przeszedł jeszcze szkolenia domowego, sensowne może być posiadanie obroży na wypadek sytuacji awaryjnych. Ale można też wyprowadzić małego łobuza na dwór, pozwolić mu wykonać toaletę, a następnie założyć szelki. Szczeniak nie ucieka tak szybko.

Postaw się w sytuacji psa. Chce biec w kierunku czegoś, a Ty mu to uniemożliwiasz obrożą i smyczą. Obroża go dusi i czuje się zagrożony. Stawia opór temu, co go dusi i ciągnie z całej siły. To go jeszcze bardziej przeraża i również powoduje agresję. Ciągnięcie wbrew oporowi to instynkt, który posiadają również ludzie. Próbujesz oderwać się od tego, co cię trzyma.

Maluch będzie radził sobie jeszcze gorzej, jeśli posłuchasz rad "psiego eksperta" i spróbujesz przemówić psu do rozsądku, szarpiąc go za smycz. Silne szarpnięcie za obrożę może złamać szyję małego psa.

Najlepiej, gdy szelki dla psa mają szeroką osłonę klatki piersiowej w kształcie litery Y z pierścieniem do przypięcia smyczy. Do górnej części tarczy przymocowane są szerokie wyściełane paski, które łączą się z częścią tylną. Do tego dołączone jest kolejne oczko. Pasek biegnący za przednimi nogami zamyka system. Przy odrobinie wprawy można założyć takie szelki równie szybko jak obrożę. Trzeba go tylko dopasować do wielkości psa. Szelki nadają się również do zapięcia psa w samochodzie. Jeśli przymocujesz smycz do osłony klatki piersiowej, masz swojego Akitę pod dobrą kontrolą i możesz zapobiec silnemu ciągnięciu.

Ważne: Niezależnie od tego, czy jest to obroża czy smycz, zdejmij ją z psa zaraz po wejściu do mieszkania. Dzięki temu chroniona jest piękna sierść psa.

Kup smycz o długości 2 metrów, wykonaną z nylonowej taśmy. Jest mocny i lekki. Największą zaletą takich smyczy jest to, że można je wykorzystać na wiele sposobów. Twój pies może się po niej swobodnie poruszać w promieniu ok. 150 cm, masz go pod kontrolą natychmiast, gdy próbuje się wyrwać, nadaje się również do szkolenia, jeśli Twój pies cały czas ciągnie.

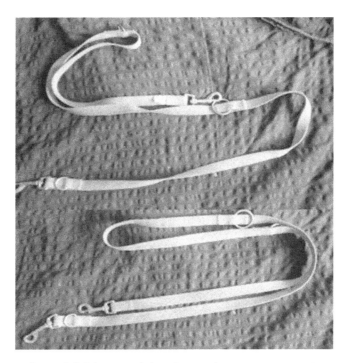

Rysunek 9: Jak optymalnie wykorzystujemy naszą smycz, ©

Wielu właścicieli psów kupuje smycz automatyczną, którą można przedłużyć do długości 5 metrów. Błędnie zakładają, że pies ma większe pole manewru niż przy krótkiej smyczy. Nie jest to jednak prawda, bo pies biegnie przed siebie, dopóki smycz nie jest napięta. Nie korzysta więc z wolności, a jedynie idzie przed tobą w większej odległości.

Jednocześnie oznacza to, że mają nad nim mniejszą kontrolę. Nie można na przykład jednym ruchem przyciągnąć swojego Akity tak blisko siebie, żeby można było go dotknąć rękami. W praktyce taka smycz sprawi, że pies stanie się niepewny, a może nawet agresywny.

Załóżmy, że spotkasz obcego psa. Jesteś przywódcą stada i musisz wyjaśnić sytuację. Jednak Twój pies jest daleko przed Tobą i zakłada, że teraz to on jest żądany.

Jego instynktem jest chęć pokazania się w pewien sposób. Będzie szczerzył futro i pokazywał zęby na znak, że jest duży i silny. Od czasu do czasu psy przyjmują inną pozycję, leżą na brzuchu gotowe do skoku, aby pokazać, że nie chcą atakować, ale w razie potrzeby będą walczyć.

Stopniowe cofanie się w tył jest dla niego nie do pomyślenia. Oznacza to z jednej strony, że oczyszcza pole, a z drugiej pozostaje w swoistej pozycji do ataku zwrócony w stronę "przeciwnika". Sytuacja, która dezorientuje oba psy. Dokładnie to samo robisz psu, gdy kilkoma ruchami przyciągasz go coraz bliżej siebie, aż zwiniesz długą smycz. Twój pies ma przed sobą przeciwnika, a z tyłu "wroga", co zmusza go do wykonania gestu zupełnie zbyt przypominającego jego naturę. Wiele psów staje na baczność i zaczyna szczekać jak szalone. Akt desperacji, bo pies nie rozumie, co się dzieje.

Na smyczy 2-metrowej pies idzie około jednego metra przed Tobą. W takiej sytuacji wystarczy kontynuować spacer i skrócić smycz owijając ją wokół ręki podczas spaceru. W ten sposób spowalniasz ruch psa, jeśli chce iść dalej i jednocześnie podchodzisz do niego. Stajesz obok niego lub nawet przed nim i pokazujesz mu, że wyjaśniasz sytuację.

Ilustracja 10: Takie automatyczne linie nie radzą sobie tak dobrze.

Rysunek 11: Lepsza jest solidna smycz.

Ogólnie rzecz biorąc, stosowanie smyczy automatycznych oznacza, że pies musi stale walczyć z oporem. Nie ma żadnej korzyści dla niego, aby pozostać w pobliżu ciebie, ponieważ pozostaje denerwujące ciągnięcie smyczy. Oszczędź swojemu Akicie tego doświadczenia. Takie smycze nie oznaczają zysku w postaci wolności, ale są permanentnym stresem dla zwierzęcia.

Produkty do pielęgnacji

Do pielęgnacji zaopatrz się w szczotkę do włosów z mocnym włosiem o różnej długości. Będzie to trwało do momentu rozpoczęcia pierwszej wymiany powłok. Służy do przyzwyczajenia psa do szczotkowania. Ważne jest również posiadanie grzebienia z szerokimi zębami, który służy przede wszystkim do wyłapywania kleszczy, oraz grzebienia na pchły, aby regularnie sprawdzać, czy nie ma pcheł. Szczotkę do skubania z zaokrąglonymi końcami można kupić później, gdy zacznie się zmiana sierści.

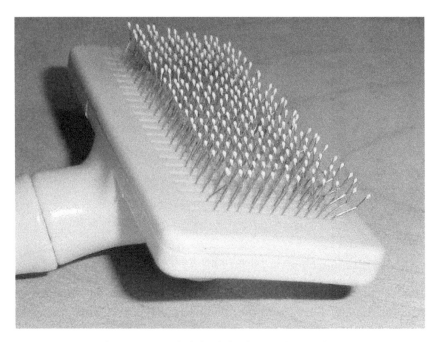
Zdjęcie 12: Nasz pędzel do skubania jest niezastąpiony, ©

Ponieważ pies prawdopodobnie zaakceptuje opiekę stomatologiczną tylko wtedy, gdy będzie do niej przyzwyczajony już jako szczeniak, przed wprowadzeniem się psa do domu powinny się w nim znaleźć także łóżeczka na palce i pasta do zębów dla psów.

Zabawka

Młode psy bawią się wszystkim, co znajdą. Zwłaszcza, gdy rusza wymiana zębów, nic nie jest bezpieczne przed ich uzębieniem. Zakazywanie i zabieranie zabawek, które wydają się odpowiednie dla psa, ale nie dla Ciebie, to jedno. Twój pies potrzebuje jednak alternatywy.

Natychmiast po wprowadzeniu się pokaż mu jego zabawki, składające się ze zwierzęcych kopyt, zabawek do żucia wykonanych z bawolej skóry oraz przytulanki lub kocyka. Poproś hodowcę, aby przytulanki zostały z matką i rodzeństwem przez kilka dni. Wtedy szczeniak ma coś, co pachnie jak znane mu środowisko.

Można też kupić kółka do rzucania, piłki lub Frisbees do późniejszej zabawy na świeżym powietrzu. W pierwszych dniach pies jest nieco przytłoczony wszystkimi doświadczeniami, które i tak dzieją się w jego życiu. Swoją drogą, wiele Akit nie docenia takich zabaw.

Stwórz bezpieczne środowisko

Żaden pies nie ma instynktu, który nie pozwala mu spaść ze schodów, wdepnąć w rozbite szkło czy zjeść czegoś, co jest dla niego niebezpieczne. Twoim zadaniem jest zapewnienie bezpiecznego środowiska dla Akita Inu.

Sprawdź bezpieczeństwo domu i ogrodu.

- Czy są kable, do których szczeniak może dotrzeć? Młode psy lubią je gryźć. Dzięki swoim spiczastym zębom mlecznym łatwo przebijają izolację i mogą dotrzeć do znajdujących się wewnątrz przewodów pod napięciem. Istnieje również niebezpieczeństwo, że pies ściągnie urządzenia ze stołu. Zwykle ze złymi konsekwencjami dla zwierząt i maszyn.

- Wszystkie gniazdka, do których szczeniak może dotrzeć, powinny mieć blokadę zabezpieczającą przed dziećmi. Małe psy wpadają na dziwne pomysły, które mogą doprowadzić do porażenia prądem.

- Sprawdź, czy pies może przecisnąć się przez poręcze i barierki. Niejeden szczeniak wypadł z balkonu, bo z ciekawości wdrapał się przez barierkę.

- Zobacz, czy istnieją pomoce, które umożliwiają małemu psu osiągnięcie dużej wysokości. Podnóżki, taborety i krzesła wystarczą, by dosięgnąć np. parapetu balkonowego.

- Bezpiecznie przechowuj środki czyszczące, nawozy i środki owadobójcze. Takie środki należą do zamykanej szafki lub do szafki z zamkami zabezpieczającymi przed dziećmi.

- Nie należy wystawiać pudełek z przynętami przeciwko mrówkom, karaluchom i srebrnym rybom. Szczeniak znajdzie je i przegryzie ładną zabawkę. Zawartość jest niesmaczna, często trująca.

- Umieszczaj rośliny w doniczkach zamiast na podstawkach lub podlewaj niezwykle ostrożnie. Psy lubią siorbać wodę, która się tam zbiera. Może być bardzo toksyczna z powodu nawozów lub pestycydów.

Przy okazji trucizna: wiele rzeczy, które są zdrowe dla ludzi, nie są tolerowane przez organizm psa. Niestety, niektóre z nich są równie kuszące, co śmiertelnie niebezpieczne. Mało który pies zatruje się czosnkiem, chyba że człowiek ukryje go w smacznym jedzeniu. Czekolada to już inna historia. Psy nie mogą się jej oprzeć i zjedzą nawet ponad kilogram. Zawarta w ziarnach kakaowca teobromina jest śmiertelnie niebezpieczna dla psów i kotów. W połączeniu z kofeiną substancja ta jest jeszcze bardziej niebezpieczna.

100 g czekolady mlecznej zawiera około 90 mg kofeiny i 230 mg teobrominy. Od spożycia 40 mg teobrominy na kilogram masy ciała, pies wymaga leczenia. Ciemne odmiany mogą zawierać 300 mg kofeiny i 900 mg teobrominy, a leczenie jest wymagane już wtedy, gdy pies spożyje zaledwie 20 mg/kg masy ciała.

Znany jest przypadek 21 kg suki Springer spaniela, która zmarła po zjedzeniu 1 kg mlecznej czekolady. Dwa angielskie buldogi, z których każdy zjadł kawałek ciasta z czekoladową polewą, również zdechły, choć zjadły "tylko" 20-30 g czekolady.

Tabela zawiera listę innych pokarmów, których Twój Akita nie powinien nigdy jeść.

Co	Komentarz
Alkohol	Nawet niewielkie ilości są śmiertelne. Psy unikają alkoholu, ale spożywają go w czekoladkach i deserach. Poza tym większość psów lubi piwo.
Piwo bezalkoholowe	Chmiel jest trujący dla psów.
Awokado	Zawarta w nim persyna uszkadza mięsień sercowy. Zatrucie może doprowadzić do śmierci psa.
Kofeina	150 mg kofeiny (około jednej mocnej filiżanki kawy) na kilogram masy ciała może być śmiertelne.
Surowe impulsy	Toksyna Fazina zlepia czerwone krwinki. Ponieważ rozkłada się pod wpływem ciepła, owoce wolno gotować.
Ziemniaki, bakłażany, pomidory	Rośliny psiankowate zawierają w zielonych częściach truciznę solaninę. Występuje biegunka, wymioty, zaburzenia czynności mózgu i podrażnienie błon śluzowych.
Orzechy makadamia	Nieznana jeszcze toksyna obciąża układ pokarmowy i nerwowy. Występują ataki osłabienia, paraliżu i gorączki.
Orzechy	Wiele orzechów jest zainfekowanych przez grzyba produkującego toksyny. Toksyna powoduje drżenia, konwulsje i napady padaczkowe.
Pestki owoców	Pestki owoców pestkowych zawierają truciznę cyjanek. W żołądku zamienia się w kwas pruski, który blokuje podział komórek. Pies dusi się wewnętrznie.
Wieprzowina	Może zawierać wirus Aujeszky, który powoduje nieuleczalne zapalenie nerwów i mózgu. W

	Niemczech wirus występuje zazwyczaj tylko w mięsie dziczyzny.
Winogrona, sułtanki	Przypuszczalnie zawarty w nim kwas szczawiowy wywołuje niewydolność nerek.
Cebula, czosnek, pory	Olejki eteryczne, które odpowiadają za smak, zawierają związki siarki. Niszczą one czerwone krwinki i prowadzą do anemii, która może być śmiertelna.

Uważa się, że czosnek i cebula chronią przed pchłami i kleszczami, dlatego zwykle podstępem właściciel podaje je psu.

Orzechy wszelkiego rodzaju, a także pestki owoców i winogrona, podobnie jak czekolada, niosą ze sobą ryzyko, że pies oszaleje na ich punkcie. Zaobserwuj, czy zbiera w ogrodzie opadłe owoce. Jeśli pies szuka owoców, usuń je zanim pozwoli mu się swobodnie biegać po ogrodzie.

Edukacja szczeniaka

Oczywiście edukacja zaczyna się od pierwszego dnia, ale nie należy przemęczać szczeniaka. Musi najpierw pogodzić się z utratą znajomego otoczenia, matki i rodzeństwa. Wystarczy, że zabronisz mu tylko wpełzać do łóżka. Nie musi się jeszcze uczyć komend.

Osiedlenie się

Spraw, by przeprowadzka do nowego domu była jak najłagodniejsza. Zabierz kociaka ze znanego mu otoczenia, oddziel go od matki i rodzeństwa. Oszczędź psu samotnej podróży samochodem w pudełku w bagażniku. Umieść podkładkę dla szczeniaków na tylnym siedzeniu i połóż na niej szczeniaka. Załóż szelki i przypnij psa pasami. Najlepiej, gdy jest z wami druga osoba, którą pies już zna i która siedzi obok zwykle przestraszonego zwierzęcia.

Jeśli wymagana jest dłuższa jazda, zaplanuj odpoczynek około 10 minut co godzinę. Zaproponuj psu wodę, nawet jeśli nie jest ciepła.

Po przybyciu do nowego domu, przed wejściem do pomieszczeń, postaw Akitę w miejscu, w którym chcesz, aby w przyszłości się odłączył. Idealny jest skraj żywopłotu lub krzewu, ponieważ psy lubią szukać nieco ukrytego miejsca.

Pozwól psu odpocząć. Będzie przestraszony, jeśli w mieszkaniu czeka wiele osób, które witają go głośnym krzykiem lub gwarem. W pierwszych dniach unikaj odwiedzin psa przez gości. Musi najpierw przyzwyczaić się do nowego środowiska.

Pokaż mu, gdzie jest miska z wodą. Połóż na jego psim posłaniu coś, co pachnie jak znajome środowisko, np. zabawkę lub koc. Ponieważ szczeniak bezwzględnie potrzebuje bliskiego kontaktu ze "swoimi" ludźmi, jego miejsce do spania powinno znajdować się w pobliżu ich łóżka. Powinien być w stanie cię zobaczyć i wyczuć.

Powtarzaj jego imię spokojnym i przyjaznym głosem. Unikaj robienia mu "wykładu".

Gesty i mimika twarzy szczeniaka

Interpretacja języka psa i jego ciała może być czasem bardzo ekscytująca i ciekawa. Daje to możliwość oceny swojego Aktia Inu w różnych sytuacjach i działania z wyprzedzeniem. Literatura fachowa oferuje wystarczające materiały na ten temat lub można odwiedzić szkołę dla psów, w której zostaniemy poinstruowani i będziemy mogli raz po raz uspokajać.

Akita Inu nie ma żadnych agresywnych cech, ale jest bardzo mądry, słodki i zawsze gotowy do nauki nowych rzeczy. Z tych powodów szkolenie tej rasy nie jest szczególnie trudne. Jak w przypadku każdego innego psa, należy zadbać o to, aby miał regularny kontakt z innymi psami. Dobra socjalizacja jest niezwykle ważna. Po wprowadzeniu się do nowego domu, powinien być z miłością włączony do codziennej rutyny i wprowadzony do innych zwierząt mieszkających w domu i dzieci. Dla jego rozwoju ważne jest, aby miał głównie dobre doświadczenia. Czas spędzony z nowym ulubieńcem zaprocentuje później. Inus to psy, które uwielbiają pracować ze swoim człowiekiem i dlatego nie zasługują na niesprawiedliwe traktowanie.

Szczenięta mają wiele gestów, dzięki którym mogą sprawić, że zostaną zauważone - nie tylko - wśród swoich rówieśników. Są nie tylko dobre w gestach i mowie ciała, ale także w mimice twarzy, którą wykorzystują do komunikacji z innymi psami. W ten sposób pokazują, że są głodne, przestraszone lub domagają się czułości.

Jeśli jeszcze mały pies patrzy bardzo nieruchomo w jednym kierunku, a źrenice są zwężone, to jest to gest groźby. W świecie psów mówi się też o tzw. złym oku. Oznacza to, że pies nie wygląda na "czystego" i może ugryźć bez ostrzeżenia.

Szczeniak buduje się specjalnie: Jeśli szczeniak czuje się szczególnie odważny lub pokazuje agresywne strony, buduje się i robi się duży. Uszy i ogon są wtedy wzniesione. Zapewne będzie wystawiał klatkę piersiową i podnosił włosy na karku i plecach. Może też delikatnie merdać ogonem, gdy warczy - to oznaka braku pewności siebie.

Szczeniak robi się bardzo mały: Jeśli pies jest uległy, robi się tak mały, jak to możliwe, aby wydawać się jak szczeniak. Ma nadzieję, że jego odpowiednik zostawi go w spokoju, bo dorosłe psy np. nagradzają szczeniaki, ale nigdy ich nie atakują i nie gryzą. Kiedy szczenięta są uległe, zazwyczaj zwijają się w kłębek na podłodze, trzymają ogon bardzo płasko i machają nim nieśmiało. Czasami będą próbowały polizać twarz psa przełożonego lub opiekuna. W bardziej ekstremalnych sytuacjach będą leżeć całkowicie na plecach, odsłaniając gardło.

Zdjęcie 13: Szczeniak robi się bardzo mały.

Machanie ogonem jest często interpretowane jako oznaka sympatii i radości. Jednak przesadne waggingi często obserwowano u psów uległych. Tak więc wagarowanie może mieć również kilka znaczeń:

Jeśli pies macha powoli, a ogon jest stosunkowo sztywny, pies jest zirytowany.

Jeśli ogon jest schowany między tylnymi nogami, jest to oznaka strachu.

Niespokojne lub nerwowe psy czasami trzymają ogon w dole i merdają nim tylko sugestywnie.

To, jak psy noszą swój ogon, różni się w zależności od rasy. Ogólnie można powiedzieć, że ogon, który jest pod kątem większym niż 45 stopni do tyłu, reprezentuje czujność i zainteresowanie.

Twarz i mimika szczeniaka mogą wiele zdradzić o jego aktualnym stanie ducha. Czy szczeniak jest przestraszony? Jest podekscytowany? Czy on chce grać? Te i inne emocje można rozpoznać i działać na podstawie mimiki twarzy. Jeśli uszy są skierowane do przodu, oznacza to, że szczeniak jest czujny i słucha. Jeśli natomiast uszy są płasko przylegające do głowy, może to wyrażać radość, jak również wskazywać na strach. Aby prawidłowo "odczytać" nastrój, należy zwrócić uwagę na inne znaki i umieścić je we wspólnym kontekście.

Jeśli zaobserwujesz, że oczy są tylko lekko przymknięte, jest to zazwyczaj oznaka radości lub akceptacji, że to Ty jesteś "przywódcą stada". Jeśli jednak oczy są szeroko otwarte, szczeniak jest czujny i na "czuja". Natura tak to urządziła, że psy, gdy się spotykają i ustalają między sobą hierarchię, patrzą sobie w oczy tak długo, aż słabszy ulegnie i się wycofa. Specjaliści od psów zalecają takie zachowanie również w szkoleniu szczeniąt: w sytuacji niepokojącej patrz na szczeniaka, aż oderwie się od spojrzenia i cofnie.

Produkty dla szczeniąt

Oprócz wspomnianych już produktów, które wchodzą w skład zakupu psa, takich jak szelki czy smycz, istnieją również inne produkty, które są dostosowane do warunków życia szczeniąt. Szczególnie szczenięta Akity są bardzo figlarne i bardzo ciekawskie. Jeśli chcesz konkretnie promować wydajność poznawczą swojego zwierzaka, niektóre specjalne zabawki i gry wyszukiwania są zalecane dla psa.

Trening zręcznościowy dla psów to jeden ze sposobów - czy to przy pomocy własnej konstrukcji, czy też zakupionej zabawki do wąchania, tutaj również można zaspokoić instynkt i ambicje łowieckie swojego czworonożnego przyjaciela. Gry te wykonane są zazwyczaj z odpornego na gryzienie silikonu z pustą przestrzenią w środku. Można w nim umieścić smakołyki przez wąski otwór, które pies musi potem sam wydostać. Ta gra jest dostępna w wielu różnych wariantach i kształtach.

Ale dywaniki do wąchania to także świetny bodziec do zajęcia szczeniaka. Maty te mają różne zastosowania, np. małe kieszonki lub nacięcia, w których można ukryć jedzenie lub smakołyki. W ten sposób Akita Inus w zabawie zdobywa część pożywienia i jest optymalnie zajęty.

Istnieją również inne produkty, które są dostosowane do konkretnych rodzajów treningu. Na przykład wkładki chłonne są idealne przez pierwsze kilka tygodni, dopóki szczeniak nie jest jeszcze w stanie w pełni kontrolować swojego pęcherza. Jednak specjalne kosze dla psów do samochodu mogą również ułatwić życie Twojemu czworonożnemu przyjacielowi i w razie potrzeby odebrać mu strach.

Szkoła dla szczeniąt

Szkoła dla szczeniąt zapewnia miejsce, w którym można pracować nad socjalizacją szczeniaka z innymi właścicielami, szczeniętami i profesjonalnym trenerem. Spotkania te, organizowane zazwyczaj przez szkołę dla psów, to cotygodniowe spotkania, które pomagają w budowaniu charakteru i socjalizacji. Gdy szczeniak zamieszka z Tobą w wieku około 8-10 tygodni, powinieneś stać się dla niego najsilniejszą i najważniejszą postacią przywiązania w pierwszych dniach i tygodniach. Po pięciu do siedmiu dniach można jednak ruszyć, jeśli się chce.

Szkoła dla szczeniąt ma wiele zalet dla zwierzęcia:

- Szczeniak spotyka się z przedstawicielami różnych ras.
- Wielkość ciała i aktywność, ale także intensywność są stosunkowo podobne.
- Szczeniak poznaje różne bodźce z otoczenia i w ten sposób jest socjalizowany.
- Profesjonalny trener psów tłumaczy zachowania społeczne zwierząt.
- Instrukcje i wskazówki dotyczące udanej komunikacji między psami.
- Komendy są trenowane bezpośrednio w atmosferze pełnej rozproszenia.

W szkole dla szczeniąt Twój pies poznaje inne psy różnych ras. Ta społeczna interakcja ze sobą pomaga psu nauczyć się, co właściwie czyni psa. Szczeniaki mogą bawić się i szaleć razem w nadzorowanym środowisku, ale także uczyć się pierwszych komend. Szczególną zaletą uczęszczania do szkoły dla szczeniąt jest również bezpośrednia informacja zwrotna, którą można uzyskać. Doświadczony trener psów szybko zauważy, czy wszystko jest w porządku z komunikacją między Tobą a Twoim psem. Oznacza to, że odpowiednie wskazówki i triki mogą zostać przekazane bezpośrednio do Ciebie, a następnie wdrożone. W ten sposób, nawet będąc początkującym, można uniknąć błędów, które później trudno jest poprawić. Wymiana z innymi właścicielami psów jest tu również ułatwiona i oferuje miejsce na relacje z doświadczeń lub własne wskazówki.

Sesje treningowe odbywają się tutaj zazwyczaj raz w tygodniu, przez resztę czasu ćwiczy się wtedy i utrwala rzeczy poznane w domu. Ponadto szczeniak uczy się tutaj prawidłowych interakcji z innymi psami . Może to mieć długotrwały wpływ na jego zachowania społeczne. Podobnie jak w przypadku ludzkich dzieci, nacisk kładziony jest na naukę poprzez zabawę, z naciskiem na wspólną zabawę psów. Oprócz krótkich, zazwyczaj 10-minutowych sesji treningowych, pomiędzy nimi zawsze przewidziane są przerwy na regenerację i zabawę. W ten sposób maksymalnie wykorzystujesz czas uwagi szczeniaka. Jednak w tym przypadku ma zastosowanie następująca zasada: Lepiej szkolić trochę za mało, niż przemęczyć psa. Jest to najlepszy sposób na zakotwiczenie nowo zdobytej wiedzy.

Poniżej znajdziesz główne cechy, po których można rozpoznać dobrą szkołę dla szczeniąt:

- Przyjrzyj się - Zanim zdecydujesz się na szkołę dla szczeniąt, powinna istnieć możliwość przyjrzenia się sesji szkoleniowej na miejscu. Posłuchaj swojego przeczucia, co jest najlepsze dla Twojego psa.

- Trener - Dowiedz się o kwalifikacjach danego trenera psów. Nie należy lekceważyć trenerów wolontariuszy, bo samo wykształcenie niewiele mówi o postępowaniu ze zwierzętami.

- Grupa - Jak duża jest grupa szczeniąt? Czy jest jeszcze pojemność, czy może Twój szczeniak zgubił się w tłumie? Jak rozkładają się rozmiary? Złe doświadczenia z dużymi psami mogą prowadzić do strachu i antypatii w późniejszym okresie życia.

- Motywacja psów - pozytywny nastrój i praca z pozytywnym uwarunkowaniem powinny być na pierwszym miejscu w szkoleniu psów. Podniesione głosy, przemoc czy bolesne "narzędzia" nie wchodzą tu w grę!

- Teren dla psów - Jak jest rozplanowany teren szkoły dla szczeniąt? Optymalny jest ogrodzony teren zielony do zabawy, najlepiej z drzewami i krzewami. Kolejne oferty dla ciekawskich szczeniąt, takie jak opaski do trzepania czy tunele dla psów, są tym lepsze.

Szkolenie psów dawniej i dziś

Jak prawie wszystko, tak i metody szkolenia psów uległy zmianie. Podczas gdy w latach 80-tych idee dominacji, uległości i ścisłego do szorstkiego przywództwa paczki nadal robiły rundy, nowoczesne szkoły dla psów skupiają się na pozytywnym wzmocnieniu. Oznacza to, że pies jest chwalony za poprawne zachowanie, na przykład smakołykami. W ten sposób pies uczy się, że to zachowanie jest pożądane i że zostanie nagrodzone.

Nagroda może przybierać różne formy i nie muszą to być tylko smakołyki. Można pozwolić szczeniakowi pobawić się ulubioną zabawką lub pogłaskać go. Wszystko, co lubi robić, a co nie przekracza ustalonych przez Ciebie limitów, jest dozwolone. Zdobądź się na kreatywność w motywowaniu. Ty znasz swojego psa najlepiej i szybko będziesz wiedział, co sprawia mu przyjemność. Mały romp z tobą lub przytulanie się razem również wzmacnia więź. Twoje gesty i użycie głosu mogą również sygnalizować maluchowi, że zrobił coś super wspaniałego. Psy uwielbiają być celebrowane! Jeśli pracujesz ze smakołykami, szczególnie na początku, urozmaicaj je również tam. Przygotuj torbę niespodziankę ze wszystkim, co lubi Twoja Akita. Mogą to być suszone szprotki, chipsy bananowe, krążki jabłkowe, chipsy kokosowe, przycięte kawałki jelita wieprzowego, sprasowane smakołyki z torebki itp. Twój pies nigdy nie wie, co mu podasz. Twój pies nigdy nie wie, co odkryjesz z torby i będzie podwójnie uważny!

Nie pozwól, aby inni właściciele psów pouczali Cię lub namawiali do swojej metody szkolenia, jeśli nie masz na to ochoty. Każdy pies jest inny i każdy właściciel psa ma swój własny przepis, który uważa za jedyny słuszny. Jednak szkolenie Labradora czy Teriera to nie to samo co szkolenie Akity Inu.

Niemniej jednak nie należy bać się pytać innych właścicieli psów o swoje metody szkoleniowe, jeśli widzimy, że są one skuteczne. Niezapowiedziane rady są denerwujące, zwłaszcza jeśli zaczynają się od "Cóż, ja zawsze robię to tak..." i mają podtekst kazania z ambony. Co innego, jeśli otwarcie podejdziesz do właściciela drugiego psa i zapytasz. Większość chętnie dzieli się swoimi doświadczeniami!

Proszę też ignorować stwierdzenia typu "ale on jest duży, na pewno potrzebuje twardej ręki" (jeśli to możliwe, to z wyższościowym uśmiechem, jeśli nie, to myśląc swoją rolę i idąc dalej bez komentarza). Idea dominacji, ludzi jako przywódców stada, z pewnością nie jest całkowicie błędna, ale twarda ręka to ostatnia rzecz, jakiej potrzebuje twój wrażliwy pies.

Pies potrzebuje jasnych zasad. Obejmuje to bycie cierpliwym i konsekwentnym, nawet jeśli jest to trudne. Empatia i uprzejmość to cechy, których oczekujesz od swojego psa. Jak ma się ich nauczyć, jeśli dajesz mu zły przykład?

Szarpanie smyczą, łapanie i potrząsanie psem za kark, rzucanie psa na plecy, grożenie gazetą czy bicie psa nie ma miejsca w relacji między psem a właścicielem, którą powinien cechować szacunek i miłość. Skuteczne szkolenie psa nie wymaga przemocy, a tylko ci, którzy szkolą swojego psa w sposób przyjazny, ale stanowczy, będą mieli później ugodowego czworonożnego przyjaciela na smyczy.

Szkolenie szczeniąt - Pierwsze 5 tygodni

Szczenięta uczą się szybciej niż dorosłe psy. Nie oznacza to, że nie można już dorosłego zwierzaka niczego nauczyć, ale jeśli podstawy edukacji zostały położone już w szczenięctwie, upraszcza to wspólne życie i dalszą edukację w ogóle.

Biorąc pod uwagę, że czas ten powinien być zatem dobrze wykorzystany, szybko może się okazać, że jest się przytłoczonym i nie wie się od czego teraz zacząć i co jest najważniejsze.

Dlatego poniżej przedstawiono rzeczy, których powinieneś jak najszybciej nauczyć swojego szczeniaka Akita Inu.

Przede wszystkim nie przemęczaj swojego Akita Inu! Lepiej ćwiczyć kilka razy dziennie po kilka minut, niż chcieć za dużo i stresować zwierzę!

Oprócz szkolenia domowego, które zostało już omówione, ważne jest również szkolenie Akita Inu w zakresie **gryzienia** . To jest dokładnie to, co brzmi: zwierzę musi nauczyć się nie gryźć zbyt mocno.

Zahamowanie to, wbrew pozorom, nie jest wrodzone. Zamiast tego jest ona wyuczona, na przykład podczas zabawy szczeniaka z rodzeństwem. Często zdarza się, że jedno ze szczeniąt wydaje głośny płacz, który zazwyczaj brzmi bardziej dramatycznie niż w rzeczywistości, ponieważ jeden z małych piesków ugryzł je.

Ten okrzyk powoduje, że "atakujący" zwija się i uświadamia sobie: To było zbyt trudne, muszę być bardziej ostrożny.

W stosunku do konspiracji szczenięta zatem zwykle dość szybko uczą się tego hamowania ugryzień. Jednak całkiem możliwe, że muszą sprawdzić, jak daleko mogą się posunąć z ludźmi niezależnie od tego.

Teraz, aby nauczyć je tego zahamowania również z ludźmi, zrób dokładnie to, co zrobiło jego rodzeństwo: Krzycz głośno, gdy mały Akita Inu cię ugryzie. Ten okrzyk musi być naprawdę wrzaskliwy i przekonujący, a nie półsłówka typu "Ała". Większość szczeniaków będzie teraz wiedziała, że posunąłeś się za daleko i zatrzyma się. Jeśli nie, masz możliwość albo sam wyjść za drzwi na kilka sekund i w ten sposób wybrnąć z sytuacji, albo wystawić psa na zewnątrz. Po upływie kilku sekund można kontynuować zabawę, a tym samym trening hamowania ugryzienia.

Akita Inus, jak wszystkie inne psy, nie są złośliwe. Nie chcą zrobić krzywdy swojemu właścicielowi. Powody gryzienia mogą być dwa: odczuwają ból lub są podekscytowane. To ostatnie ma miejsce zarówno wtedy, gdy się boją, jak i gdy się bawią. Zdarza się więc, zwłaszcza podczas zabawy ze szczeniakiem, że przypadkowo złapie on twoją rękę lub skubnie ramię. Jest podekscytowany, jest młody i chce testować różne rzeczy.

Trochę informacji na boku: zęby szczeniąt są ostrzejsze niż dorosłych psów. Dlaczego tak się dzieje, jest do dziś przedmiotem sporów w nauce. Jedna z teorii mówi jednak, że dzieje się tak po to, aby szybciej nauczyć się hamowania ugryzień. Zęby szczeniąt rasy Akita bolą szybciej i bardziej niż zęby dorosłych psów, co powoduje również szybszą reakcję rodzeństwa lub towarzyszy zabaw w postaci głośnego płaczu. W ten sposób szczeniak uczy się hamowania już na poziomie siły, przy której jego dorosłe zęby nie sprawiłyby jeszcze bólu, a nawet szkody.

To, co również powinno nastąpić w jak najmłodszym wieku, to przyzwyczajenie Akity Inu do **noszenia szelek.** W przypadku wielu psów nie jest to duże wyzwanie - ale w przypadku Akita Inus zwykle jest. Akita Inu ceni sobie swoją niezależność, jest, jak często wspominano, bardzo uparty, a uprząż czy nawet smycz postrzega jako pozbawienie wolności i odpowiednio się temu opiera. Tutaj uwidacznia się typowa dla japońskiej rasy psów skłonność do dramatyzowania: prawdopodobnie w takiej sytuacji emitowany jest typowy "okrzyk Akity", którym zwierzę chce wyrazić swoje niezadowolenie. Brzmi to naprawdę dramatycznie i często sprawia, że w pierwszej chwili myślimy, że poważnie zraniliśmy małego szczeniaka.

Ale nie pozwól, by to wyrzuciło cię z gry. Oczywiście i tak nie powinieneś używać brutalnej siły, więc szansa, że naprawdę skrzywdziłeś Akita Inu jest bardzo mała. Po prostu chce dać do zrozumienia, że nie podoba mu się ograniczenie jego wolności w postaci uprzęży.

Uprząż powinna stać się dla Akity Inu czymś oczywistym, tak że prawie jej nie zauważa. Można to wytrenować, nagradzając go natychmiast po założeniu - co na początku może być nieco trudne ze względu na opór, ale jest jeszcze do opanowania - wspaniałą grą i/lub smakołykami. Dzięki temu uprząż kojarzy się z czymś pozytywnym. Z czasem Akita Inu będzie coraz mniej zainteresowany uprzężą, gdyż stanie się to dla niego normalne.

Pomocne może być tutaj towarzyszenie zakładaniu szelek sygnałem słownym, takim jak "załóż to". W ten sposób Akita Inu szybko wie, czego się spodziewać i najlepiej, aby mógł też trochę współpracować, np. przekładając głowę przez uprząż.

Zdjęcie 14: Przyzwyczajanie szczeniąt do szelek na klatce piersiowej.

Bez względu na to, jak zareaguje młody szczeniak, najważniejsze jest, aby obroża była założona bardzo krótko. To zależy od tego, jaką reakcję wykazał szczeniak. Jeśli było dobrze, można założyć obrożę ponownie tego samego dnia lub następnego w przypadku reakcji szokowej. Jeśli był dobry, należy go pochwalić radosnym głosem. W ten sposób kojarzy obrożę z radosnym wydarzeniem. Drugim krokiem jest smycz. I znów, lepiej jest wcześniej pokazać szczeniakowi smycz i tylko na krótką chwilę przypiąć ją do obroży. Kiedy już to zaakceptuje, możesz zacząć ćwiczyć z nim chodzenie na smyczy w domu.

Jeśli po tych ćwiczeniach pies ma wyjść na pierwszy prawdziwy spacer na świeżym powietrzu, powinien umieć przynajmniej wykonać podstawowe komendy, którymi są: Sit, Down, Stay, Here i Heel powinny być opanowane przynajmniej w połowie. Młody pies musi wiedzieć z grubsza o co chodzi. Ale właściciel potrzebuje też dużo cierpliwości przy wydawaniu komend, bo szczeniak nie zawsze od razu wie, o co się go prosi i nie będzie posłuszny wprost. Zwłaszcza gdy młody pies jest po raz pierwszy w lesie lub na wybiegu dla psów, jest wiele nowych rzeczy do odkrycia i będzie chciał wszędzie węszyć. Dodatkowo mała Akita nie umie jeszcze chodzić na smyczy i musi się jej dopiero nauczyć. Ale Akita Inus są bardzo inteligentne i chętne do nauki, i bardzo szybko rozumieją, co chcesz, aby zrobiły.

Ta sama zasada dotyczy **chodzenia na smyczy** . Jak już wspomniano, Akita Inus to psy myśliwskie i szczególnie w przypadku tej rasy może się okazać, że nigdy nie można pozwolić im biegać swobodnie na spacerach, ponieważ byłoby to po prostu zbyt ryzykowne. Dlatego ważne jest, aby były przyzwyczajone do smyczy i nie uważały jej za denerwującą, a tym samym stresującą, podobnie jak szelek.

Na początku mogą być różne wyzwania: Może się zdarzyć, że Akita Inu nie porusza się, gdy tylko zostanie mu założona smycz. W takim przypadku wystarczy pozwolić smyczy opaść na ziemię w ogrodzie lub w mieszkaniu i odwracać uwagę czworonożnego przyjaciela smakołykami, aż zapomni o obecności smyczy i zacznie się przecież ruszać. Teraz ponownie weź smycz do ręki i pochwal Akitę Inu. Teraz stopniowo zacznij się poruszać. Jeśli pies podąża, zostaje nagrodzony. Jeśli tego nie zrobi, po prostu poczekaj, nie rozmawiając z nim ani w inny sposób nie zwracając na niego uwagi. W pewnym momencie znudzi się i znów zacznie się ruszać. W tym właśnie momencie otrzyma swoją chwałę.

Innym problemem może być to, że Akita Inu gryzie smycz. Przy bliższym poznaniu zachowanie to nie jest wcale zaskakujące. W końcu zabawy w przeciąganie liny są zabawne i przyciągają uwagę. Jest to również punkt wyjścia: Jeśli Akita Inu ugryzie smycz, puść ją i po prostu przejdź kilka kroków dalej. Oczywiście należy to trenować w bezpiecznym środowisku. Na początku każdy krok, który Akita Inu zrobi bez gryzienia smyczy jest chwalony.

Samo **chodzenie na smyczy** to również coś, czego należy nauczyć małego Akita Inu w młodym wieku. Jest kilka metod na to, by maluch chodził z

Tobą na luźnej smyczy: Najpierw należy pokazać psu, że chodzenie obok ciebie jest nagrodą. Odbywa się to za pomocą smakołyków. Pierwszy smakołyk kładziemy na ziemi. Podczas gdy Akita Inu je je, ty idziesz do przodu tak daleko, jak pozwala na to smycz i kładziesz kolejny smakołyk na ziemi obok siebie. W ten sposób Akita uczy się, że bycie blisko Ciebie na smyczy jest czymś pozytywnym.

Dzięki tej metodzie można już stworzyć dobrą podstawę. Jednak prawdopodobnie zawsze będą zdarzały się sytuacje, w których Akita Inu ciągnie na smyczy i próbuje skłonić swojego właściciela do pójścia w pożądanym przez niego kierunku. Dążenie do tego byłoby fatalne, zwłaszcza w przypadku tej rasy psów, i bardzo szybko zostałoby uznane za słabość Akita Inu i wykorzystane.

Jeśli pies ciągnie na smyczy, masz dwie możliwości reakcji: Albo stoisz w miejscu i nie ruszasz się, aż Akita Inu przestanie ciągnąć i smycz znów będzie luźna. Potrzebna jest tu cierpliwość, gdyż może upłynąć sporo czasu, zanim uparte zwierzę zrezygnuje ze swojego zamiaru. Inną opcją jest ciągnięcie w kierunku przeciwnym do tego, w którym Akita Inu chce iść. To działa tylko wtedy, gdy naprawdę ma konkretny cel, a nie jest tylko niecierpliwy i chce biegać szybciej. Zrób kilka kroków w przeciwnym kierunku, a następnie przejdź po łuku z powrotem do pierwotnego celu. Jeśli pies znów zacznie ciągnąć, idź w innym kierunku ponownie, aż zrozumie, że luźna smycz doprowadzi go do osiągnięcia pożądanego celu.

Łatwiej też Akita Inu przyzwyczaić do rytuałów pielęgnacyjnych, gdy jest szczeniakiem.

Pielęgnacja Akity Inu sama w sobie nie jest szczególnie wymagająca, ale jest czasochłonna. Pomocne jest, jeśli pies podczas pielęgnacji pozostaje nieruchomy. Można to łatwo wyćwiczyć dając Akita Inu uwagę i przywiązanie. Masowanie łap, pocieranie uszu, a nawet dotykanie pyska to pozytywne sposoby na pokazanie tych rzeczy.

Na koniec szczególnie ważny punkt, o którym często zapomina się w szkoleniu szczeniąt: spanie. Szczególnie bardzo aktywne Akita Inus mają tendencję do takiego podekscytowania, że trudno im się uspokoić i trudno zasnąć. W zasadzie nawet nie zauważają, że w rzeczywistości są wyczerpani i potrzebują snu. Dlatego należy jeszcze raz wspomnieć: nie należy nadmiernie przemęczać szczeniaka rasy Akita. Jeśli chcesz zbyt wiele na raz, oferujesz zbyt wiele aktywności, to Twoja Akita Inu będzie miała trudności z odpoczynkiem, co z kolei prowadzi do stresu. Należy więc zadbać o to, aby szczeniak miał czas na wycofanie się i przetworzenie wszystkich nowych wrażeń, które zgromadził .

Lista kontrolna - socjalizacja szczenięcia

Faza socjalizacji w życiu Twojego Akita Inu ma znaczenie dla tego, jak będzie się on zachowywał w określonych sytuacjach przez całe życie. To, co jako szczeniak odbiera jako neutralne lub pozytywne, nie przysporzy mu później problemów. I odwrotnie, oznacza to, że jeśli kojarzy coś negatywnego z daną sytuacją, to trudno będzie go z tego skojarzenia wyrwać. Nie można być przygotowanym na wszystko, ale są pewne sytuacje, które często spotyka się w życiu codziennym i do których Akita Inu powinna być zatem przyzwyczajona już na wczesnym etapie.

Do takich sytuacji należą:

Jazda samochodem, autobus/tramwaj/inny środek transportu publicznego, jazda na rowerze, winda, schody, sklepy, restauracje, tłumy, ciemność, światło świec, woda, odkurzacz, urządzenia kuchenne, gabinet weterynaryjny, biegacze, rowerzyści, dzwonki do drzwi, dzieci, osoby starsze, ludzie, inne zwierzęta, inne psy, ...

Szczególnie cztery ostatnie punkty są kluczowe dla Akita Inus. Pies musi być przyzwyczajony do dzieci i innych zwierząt, z którymi powinien dzielić swoje terytorium w młodym wieku, w przeciwnym razie wyraźne zachowania terytorialne rasy wyjdą na pierwszy plan. Za zdobycz uważa raczej mniejsze zwierzęta, a także koty.

Jeśli jednak od początku przyzwyczaisz psa do dzieci lub zwierząt, życie z nimi będzie nieskomplikowane i mogą rozwinąć się głębokie, trwające całe życie więzi, podczas których wierność Akita Inu stanie się oczywista.

Aby przyzwyczaić Akitę Inu do wymienionych miejsc i sytuacji, ważne jest, aby odkrywać je aktywnie i z uwagą razem ze szczeniakiem. Ważne jest, aby nie wyjeżdżać od razu zbyt daleko, gdyż przejazd metrem z jednego końca miasta na drugi mógłby przytłoczyć i rozregulować zwierzę.

Tu też potrzebna jest cierpliwość! Uwaga jest również niezbędna, dlatego twoja koncentracja powinna być całkowicie na twoim psie, a nie na telefonie komórkowym, ponieważ, jak już wspomniano, złe doświadczenia są również szybko odciśnięte na twoim Akita Inu.

Akita Inu w okresie dojrzewania

Jak wszystkie młode psy, Akita Inus z czasem wchodzą w okres dojrzewania. Adolescencja rozpoczyna się zwykle między siódmym a dwunastym miesiącem życia. Jest to również początek okresu, w którym dorastający mężczyzna będzie pokazywał swoją wyższość. Od czasu do czasu samiec przetestuje, w jakim stopniu może wdrożyć własne zasady i zachowania. Dla właściciela zacznie się teraz faza "braku ochoty do robienia czegokolwiek", nagłe drgawki, którym towarzyszy duża aktywność, powtarzające się bunty i brak szacunku dla autorytetów. Młode psy przechodzące okres dojrzewania zawsze wykazują zachowania przypominające zachowania nastolatków. Młody Akita, który zawsze niezwykle chce zadowolić swojego opiekuna i który z zapałem chłonął wszystko, czego go uczono, nagle nie ma już w głowie ani jednego polecenia. Ale takie fazy również znikają ponownie samoistnie.

Przejście do "dorosłości" ma swój początek po okresie szczenięcym. Okres dojrzewania jest łatwo rozpoznawalny, gdy szczenięta tracą zęby mleczne i wyrastają im prawdziwe zęby. Etap rozwoju, jakim jest dojrzewanie, niemal płynnie łączy się z dorosłością. Trudno więc je od siebie oddzielić. W zależności od rasy, dojrzewanie płciowe trwa odpowiednio dłużej lub krócej i w tej fazie pies osiąga dojrzałość płciową.

U suk dojrzewanie rozpoznaje się po tym, że mają pierwszą ruję. Z kolei samce zaczną teraz podnosić nogę, aby oddać mocz. Innym objawem dojrzewania u samców jest to, że nagle interesują się oznaczeniami innych psów, a ich zabawa staje się bardziej szorstka. W zależności od ewentualnego poziomu stresu lub stanu odżywienia (za grube/za chude) dojrzewanie może być odpowiednio szybsze lub opóźnione. Natura tak to zorganizowała, że zwierzę osiąga dojrzałość płciową dopiero wtedy, gdy są wystarczające rezerwy fizyczne, a zwierzęta poruszają się w bezpiecznym środowisku.

Po pomyślnym zakończeniu fazy dojrzewania rozpoczyna się rozwój w kierunku dorosłości, który będzie trwał przez kolejne kilka lat. Dopiero po zakończeniu tego całego procesu rozwojowego Akita Inu jest dojrzała fizycznie i psychicznie. W tym etapie życia następuje ostateczny rozwój drugorzędowych cech płciowych i zmiana zachowania. Podobnie jak u ludzi, zmienia się nie tylko wygląd zewnętrzny i widoczne zachowania, ale również "przebudowuje się" struktura wewnętrzna. Oznacza to na przykład, że młody pies rozwija się psychicznie. Hormon "GnRH", czyli "Gonadotropin Releasing Hormone", daje początek dojrzewaniu. Hormon ten wyzwala uwalnianie hormonów płciowych, co z kolei prowadzi do uwolnienia innych neuroprzekaźników w mózgu. Samo zachowanie psa przesuwa się coraz bardziej z "dziecięcego" i emocjonalnego zachowania na dorosłe i rozsądne zachowanie.

Co wyzwala dojrzewanie psa?

W okresie dojrzewania w organizmie zachodzą różne procesy zmian, które nie tylko wpływają na ciało, ale także przynoszą dojrzewanie psychiczne. Takie zmiany zostały wymienione poniżej, aby właściciel mógł lepiej zrozumieć zachowanie swojego psa:

Zmiany w komórkach nerwowych wywołane impulsami wzrostowymi: Aby mózg mógł pracować wydajniej wraz z wiekiem, połączenia nerwowe są niejako "przebudowywane". Ważne połączenia są jeszcze bardziej wzmacniane, a mniej ważne redukowane. To wszystko odbywa się głównie w korze przedczołowej, czyli regionie mózgu odpowiedzialnym za procesy świadome, myślenie i uczenie się, który pozwala na wystąpienie odpowiedniej reakcji.

Dlatego w okresie dojrzewania możliwe jest wystąpienie działań impulsywnych. W tej fazie rosną również inne obszary, takie jak jądro migdałka.

Migdałki to obszar w mózgu odpowiedzialny za emocje: strach, agresję czy radość. Wpływa to również na życie emocjonalne psa. Może stać się nieco bardziej nieprzewidywalny.

Wahania hormonów: dwa hormony testosteron i dopamina powodują niepokój u psa, ponieważ wrażliwość komórek receptorowych jest również w fazie zmian. Może to oznaczać dla zwierzęcia, że staje się bardziej podatny na stres lub jest również bardziej niespokojny niż wcześniej. Pies reaguje nadwrażliwie na bodźce zewnętrzne. Tak samo jak reaguje na znane mu okoliczności. Są to typowe wahania nastroju, które nieobce są również nastolatkom.

Jak rozpoznać dojrzewanie Akita Inu?

Jeśli pies jest w fazie dojrzewania, właściciel rozpoznaje to głównie po tym, że pies staje się również bardziej nastrojowy i odpowiednio reaguje na otoczenie. Jest on w pewnym stopniu nieregularny. Jak silne jest dojrzewanie, oczywiście zawsze zależy od samego zwierzęcia, ponieważ każdy pies ma indywidualne cechy. Zasadniczo jednak można powiedzieć, że każda forma dorastania zmierza do utrwalenia dorosłych form zachowania.

W okresie dojrzewania psa powinieneś zwrócić szczególną uwagę na następujące kwestie:

Szacunek: Zawsze trzeba się upominać o swoje! Nie ma nic złego w byciu wyrozumiałym wobec psa, ale pod żadnym pozorem nie wolno pozwalać na złe nawyki. Musisz zawsze pozostać pewnym siebie i nie sprawiającym wrażenia przywódcą stada, na którego pies potrafi się dobrze zorientować nawet w trudnej fazie.

Cierpliwość: Niektóre Akita Inus z trudem zapamiętują to, czego się nauczyły, wydają się być powolne w przyswajaniu wiedzy lub w ogóle nie reagują na wezwanie. Nawet jeśli czasem jest to trudne. Zrozumienie i dużo czasu pomoże im w tym czasie. Można na nowo wydobyć w nich radość z nauki lub nauczyć ich nowych sztuczek - przy dużej zachęcie i pochwałach.

Ochrona: Pies w okresie dojrzewania często nie rozpoznaje zagrożeń i nie zna ryzyka. Tym bardziej ważne jest, abyś zawsze miał oko na swojego młodego psa i mógł interweniować, gdy "nastolatek" narazi się na niebezpieczeństwo. W tym czasie należy unikać - jeśli to możliwe - przeprowadzek czy uczenia zupełnie nowych rzeczy. Akita Inu musi dostosować się do nowych okoliczności i to może być dla niego zbyt wiele.

Wyszkolony w domu

Niestety, niektórzy "psi eksperci" lubią udzielać zupełnie błędnych rad. Nie ma sensu besztać psa za zrobienie strumienia na drogim dywanie, barbarzyństwem jest wpychanie jego nosa w kałużę. Z pewnością nie bije się zużytą pieluchą po uszach ludzkiego potomstwa, aby nauczyć je chodzić na nocnik. Twój Akita po prostu wyciągnie z kary inny wniosek niż się spodziewasz. Zakłada, że zabraniasz mu się wyluzować. W przyszłości dołoży wszelkich starań, by nigdy nie robić tego w twojej obecności. W praktyce oznacza to, że nie będzie lubił załatwiać swoich spraw na smyczy. Trzeba będzie spuścić go ze smyczy, żeby mógł się schować, co nie wszędzie jest możliwe. Albo cierpliwie czekać, aż obejdzie się bez robienia strumienia lub kupy mimo twojej obecności.

Kiedy szczeniak zamieszkuje z Tobą, wie już, że nie wolno mu się puszczać luzem w każdym miejscu. Na przykład nie ścieli swojego łóżka, bo od 5 tygodnia życia matka nalegała, żeby opuściło gniazdo, żeby się wyluzowało. Z reguły szczeniaki szukają odpowiedniego miejsca. Małe zwierzątko preferuje miejsca, które już pachną siuśkami.

Prawdopodobnie zostaniesz poinformowany, aby zawsze mieć oko na szczeniaka i szybko wyprowadzić go na zewnątrz, gdy zacznie szukać miejsca. Dzieje się tak najczęściej po jedzeniu, łażeniu lub spaniu. Ale rada jest nieco niepraktyczna, bo nie da się być tak uważnym. Poza tym często nie zdążysz zanim szczena opadnie.

Z tego powodu sensowne jest stworzenie w domu miejsca, w którym szczeniak będzie mógł się rozluźnić. Idealne są podkładki dla szczeniąt lub wkładki dla osób nietrzymających moczu. Wchłaniają one dużo płynu i wiążą zapach. Niemniej jednak, dzięki swojemu delikatnemu nosowi, psy potrafią rozpoznać, kiedy taka podkładka pachnie moczem.

Wskazówki dotyczące nauki czystości w domu

1. Wytrzyj trochę moczu psa jedną z podkładek.
2. Umieść podkładkę w miejscu, do którego szczeniak może szybko dotrzeć po wstaniu lub jedzeniu.

3. Połóż na niej szczeniaka, gdy zauważysz, że szuka on miejsca do uwolnienia, chyba że sam wejdzie na podkładkę.
4. Pochwal go, gdy załatwia na nim swoje sprawy.
5. W przypadku konieczności wymiany podkładu, należy docisnąć nowy podkład do mokrego miejsca na starym.
6. Stopniowo przesuwaj podkładkę w kierunku drzwi. Szczeniak będzie nadal z niego korzystał.
7. Gdy szczeniak bez trudu pokona drogę do podkładki przy drzwiach, postaw ją przed nim.
8. Teraz będzie celowo szedł do drzwi, gdy będzie musiał wziąć strumień lub kupę.

Oczywiście teraz trzeba szybko reagować, bo mały pies nie może jeszcze długo wytrzymać.

Nie zapomnij pochwalić psa, gdy jest mu dobrze na macie lub gdy tylko uda mu się przejść na odpowiednie miejsce przed drzwiami.

Sztuczka z podkładką, na której pies może się ulżyć, pomaga również uniknąć nieporozumień. Pies kojarzy zapach z odpowiednim miejscem do defekacji. Jedna z właścicielek, która szkoliła swojego Akitę metodą tradycyjną, spotkała się z niezbyt miłą niespodzianką. Zawsze dbała o to, by w porę wprowadzić szczeniaka do ogrodu, gdy ten stawał się niespokojny. Później, gdy pozwolono psu bawić się samemu w ogrodzie, zawsze szturmował do mieszkania, aby się rozluźnić. Nauczył się, że jego pani oczekuje, że przejdzie przez drzwi, zanim pozwoli mu się załatwić swoje sprawy.

Odwrotnie, zdarzało się, że szczeniaki rozpaczliwie szukały podkładki, aby się poluzować. Szukali go również na zewnątrz. Dopiero gdy trzymanie odłożyło ją na skraj żywopłotu, zwierzę przykucnęło z ulgą, by się uwolnić. Ten problem załatwia się sam, gdy tylko miejsce na zewnątrz pachnie psem.

Ważne uwagi:

- W sklepach są psie toalety, czyli stelaże, w których można zacisnąć klocki. Przydadzą się one, jeśli szczeniak zeskrobie podkładkę.

- Nie należy pozostawiać odchodów na chodnikach. W niektórych gminach może to być bardzo kosztowne. Kup pudełko z małymi torebkami, które możesz przyczepić do smyczy. Przełóż worek na jedną rękę jak rękawiczkę i złap kupę workiem. Drugą ręką chwyć za krawędź torby i wyciągnij ją z ręki. Odchody psa są teraz w worku.

Pokaż, kto jest szefem.

Młody Akita Inu jest niesamowicie uroczy i trudno, żeby jakikolwiek właściciel psa oparł się jego wyglądowi. Kiedy maluch zaczyna marudzić, wszystkie dobre intencje odchodzą w zapomnienie. Pies może siedzieć na kolanach lub wtulać się w ramiona pana lub pani w łóżku. Może położysz się na podłodze, żeby pobawić się z psem. Nie może być tak źle, skoro piesek-dziecko nie zwraca jeszcze uwagi na rangę w stadzie, myślisz.

Faktem jest, że szczenięta mają szczególną pozycję w stadzie. Wolno im robić wiele rzeczy, na które dorosły pies nigdy się nie odważy. Ale to się w pewnym momencie kończy i ten rozwój nie odbywa się bez "łez i frustracji", nawet w naturze. Młody pies, który nie jest już chroniony jako szczeniak, jest energicznie, a czasem nawet boleśnie nakazywany do zajęcia swojego miejsca w stadzie. Będzie też częściej głośno protestował. Z reguły takie określenie rangi nie prowadzi do walk. Walki o rangę mają miejsce zazwyczaj wtedy, gdy do stada dołącza obcy, dorosły pies lub przywódca stada okazuje wyraźną słabość.

Pamiętaj, że Twój mały Akita nie jest dzieckiem, gdy wprowadza się do Ciebie. Jest młodym psem, któremu również pokazuje się granice w stadzie. Jeśli nie uda Ci się ich jasno określić, pies automatycznie założy, że jest wyżej w hierarchii od Ciebie. Później trzeba będzie walczyć o wysoką rangę, co jest o wiele trudniejsze i niestety czasem nie udane.

Pełnoletni Akita nie ma co robić w łóżku, bo kiedy kładzie się z tobą, to rości sobie prawo do równej rangi z tobą. Przychodzi taki dzień, że warczy na ciebie, gdy chcesz się z nim położyć w łóżku. Zdegradował cię do niższej rangi. Jeśli masz szczęście, twój Akita zaakceptuje narzucenie i opuści miejsce, które nie jest jego.

Pies może trafić do schroniska, bo nie mogą już sobie z nim poradzić. Gryzie dzieci i obcych ludzi. Nie wynika to z agresji, ale z tego, że pies zakłada, że musi utrzymać porządek. Dziecko, które zje coś w jego obecności, musi zostać postawione na swoim miejscu zgodnie z opinią psa.

Takiego niepożądanego rozwoju wypadków można uniknąć, jeśli od pierwszego dnia będziesz się upierał, że to ty jesteś szefem. Twoje dzieci też są ponad psem pod względem rangi.

Wyeliminowanie problemów komunikacyjnych

Wiele bzdur jest rozpowszechnianych na temat tego, co psy mogą zrozumieć. Być może wynika to z zawodowego dystansu, jaki naukowcy ustanawiają wobec obiektu badań. Jeśli trzymasz kilkadziesiąt psów w budach, opiekę nad nimi pozostawiasz opiekunowi, a do laboratorium przyprowadzasz zwierzęta tylko na specjalne badania, to praktycznie nie dowiadujesz się niczego o inteligencji i zdolności psa do nauki.

Nie ma innego sposobu na wyjaśnienie, dlaczego wielokrotnie twierdzi się, że psy nie rozumieją słów i można je warunkować tylko na maksymalnie dwusylabowe słowa.

Dwa przykłady z praktyki obalają tę tezę. Nic nie myśląc, jej pani zawsze wypowiadała zdanie "Zostajesz tam, gdzie jesteś", gdy przywiązywała swojego kundelka przed sklepem lub gdy wychodziła z mieszkania bez zwierzęcia. Po około miesiącu okazało się, że pies głośno miauczał, gdy był uwiązany lub zostawiony sam, a jego pani zapomniała wypowiedzieć zdanie.

Udało się nawet zostawić sprytnego zwierzaka bez smyczy przed sklepem. Nie ruszyła się z miejsca, gdy tylko jej właściciel wypowiedział te słowa. Próby skrócenia wyuczonego polecenia nie powiodły się. Ani "zostajesz", ani "gdzie jesteś" nie przyniosły żadnego efektu.

Oczywiście nie świadczy to o tym, że pies zrozumiał słowa. Ale wyraźnie kojarzyła więcej niż dwie sylaby z pożądanym zachowaniem. Nalegała nawet, by słowa te padły, zanim zostanie sama.

Kolejny odcinek pokazuje, że zwierzę z pewnością słyszy pojedyncze słowa ze złożonych zdań, a nawet może je w pewnym stopniu zrozumieć. Eksperci lubią twierdzić, że pies reaguje na nieświadome gesty lub zmiany tonu, ale nigdy nie potrafi powiązać dźwięku z obiektem.

Suka, o której mowa, uwielbiała ser. Nikt nie próbował nauczyć jej tego słowa, ale oczywiście pojawiło się wiele zdań zawierających to słowo, gdy tylko dostała trochę sera. "Lubisz ser", "Czy chcesz ser", "Przyniosę ci ser". Ponieważ przysmak znajdował się zazwyczaj w lodówce, zwierzak udawał się do niej, gdy tylko usłyszał to słowo. Pewnego dnia doszło do kłótni między ludźmi i pani powiedziała: "Gdybyś to zrobił od razu, to "ser" już dawno zostałby zjedzony". Słowo to nie było normalnie wypowiadane w tym tonie głosu. Nikt też nie zajął się suką. Mimo to, natychmiast podeszła do lodówki i spojrzała z oczekiwaniem na ludzi.

Możesz zatem być pewien, że Twój Akita pewnego dnia będzie rozumiał sporo słów. Musi się ich po prostu nauczyć, podobnie jak małe dzieci uczą się mówić. Zwykle nie uczy się dziecka całych zdań, a jedynie na początku pojedynczych słów. Które powtarzasz nieustannie. W ten sposób pies uczy się również Twojego języka.

Najpierw naucz psa jego imienia lub innego słowa, np. "spacer". Powiedz słowo bez upiększeń.

Wskazówki dotyczące nauki nazwy:

- Wybierz dźwięczne imię, które wyraźnie różni się od codziennych słów, których często używają. Jeśli twoja córka nazywa się "Jenny", "Jessie" jest całkiem nieodpowiednia jako imię psa. Prawdopodobnie córka powie, że myślała, że masz na myśli psa, kiedy tak ją nazywasz.

- Nie powinien też przypominać żadnego z typowych słów rozkazujących. Akita nazwany "Szpicem" z trudem odróżni swoje imię od komendy "Siad".

- Nawiąż kontakt ze swoim szczeniakiem rasy Akita. Pet go, trzymać go w ramionach i patrzeć na niego, podczas gdy nazywając jego nazwę w kółko.

- Unikaj mówienia długich zdań. Twój pies może przyjąć, że jego imię nie brzmi "Billy", ale "Billy, jesteś cutie". Czy chcesz go nazywać tym imieniem do końca życia?

Poczekaj z uczeniem go kolejnych komend, aż zareaguje na wspomnienie swojego imienia. Potrzebuje czasu, aby przetworzyć to, czego się nauczył. Wszystko inne go przytłoczy.

Następnie spróbuj "chodzić". To nie jest polecenie, ale komunikat. Powtarzaj to słowo za każdym razem, gdy wychodzisz z psem za drzwi. Pokaż mu smycz i uprząż. Twój pies uczy się, że słowa, które wypowiadasz mają znaczenie, które bezpośrednio go dotyczy. Dzięki temu jest bardziej otwarty na polecenia mówione. Musi przecież najpierw zrozumieć, że dźwięki, które wydajesz ustami są dla niego ważne.

Przyzwyczajanie się do smyczy

Ilustracja 15: Pies rasy japońskiej Akita Inu na smyczy

Wielu właścicieli psów pozostawia obrożę na psie w dzień i w nocy, aby w każdej chwili można było szybko wyjść z nim za drzwi. Pomijając fakt, że obroże generalnie mają wiele wad i mogą nawet wyrządzić fizyczną krzywdę zwłaszcza szczeniętom, noszenie obroży lub szelek przez cały czas niszczy piękną sierść Akity.

Oczywiście, raczej nie da się założyć szelek młodemu psu, gdy chcemy go szybko wyprowadzić za drzwi, bo chce załatwić swoje sprawy. Nie ma cierpliwości, musi natychmiast wyjść na zewnątrz.

Nie powinno to jednak być powodem do stosowania obroży lub ciągłego trzymania szelek na biednym zwierzęciu. Raczej ćwicz używanie szelek i smyczy niezależnie od nauki domowej. Na przykład załóż go, gdy właśnie zszedł z maty. Zaczep smycz i otwórz drzwi wejściowe, aby wyjść na zewnątrz ze spuszczonym ze smyczy psem. W zależności od jego charakteru, pobiegnie radośnie w nowy dla niego świat lub pozostanie z wahaniem w drzwiach.

Ponieważ większość szczeniąt ma tendencję do biegania za właścicielem (nie chcą stracić kontaktu ze stadem), szczeniak nie ucieknie od Ciebie nawet wtedy, gdy po raz pierwszy wyprowadzisz go na zewnątrz bez smyczy.

Gdy tylko Akita znajdzie się na smyczy, idź do przodu w tempie, które nie przytłacza malucha. Zwykle zatrzymuje się po kilku metrach, bo przecież każdy przedmiot jest obcy, a i zapachów jest wiele, których jeszcze nie zna. Po prostu stój cierpliwie, aż Twoja Akita będzie gotowa ruszyć w Twoim kierunku. Nie ciągnij go dalej. Smycz nie powinna być dla niego niewygodna.

Jeśli pies chce iść w innym kierunku i ciągnie na smyczy, również zatrzymujemy się bez komentarza. Czyli szanujesz to, że pies chce poznać otoczenie, ale nie pozwalasz mu wymusić na Tobie kierunku.

Pochwal psa, gdy podąża za tobą z luźną smyczą lub idzie przed tobą bez ciągnięcia. Używaj słowa "wolno", aby kojarzył je z tym zachowaniem.

Przy smyczy automatycznej nie można nauczyć psa, że chodzenie w swoim tempie na luźnej smyczy ma swoje zalety. Twój pies zawsze musi pokonać opór przy tych smyczach.

Wskazówka

Jeśli powierzchnia, na której pies załatwił swoje sprawy, znajduje się obok drzwi, można połączyć ćwiczenia "smycz" i "housetraining".

Zabierz ze sobą podkładkę i wylej w miejscu, gdzie Twój Akita ma w przyszłości załatwiać swoje sprawy. Okaż swoją radość, że depozyt jest w tym miejscu.

Co to jest trening klikerowy?

Szkolenie klikerowe jest dobrą metodą szkoleniową, która spełnia wymagania rasy psów japońskich. W USA trening klikerowy jest od dziesięcioleci integralną częścią szkolenia psów, nie tylko Akita Inus. Również w Niemczech metoda ta jest coraz częściej stosowana, ponieważ rozchodzi się wieść o jej potencjale i skuteczności. Zasada jest w zasadzie dość prosta: pożądane zachowanie, które pies pokazuje, jest nagradzane szybko i wyraźnie. W ten sposób dane zachowanie kojarzy się czworonożnemu przyjacielowi z czymś pozytywnym i wzrasta jego motywacja do powtarzania. Szkolenie klikerowe jest więc szkoleniem opartym na nagrodach. Pożądane działanie zapewnia psu nagrodę, czy to w postaci smakołyku, czy zabawy.

Jeśli przypomnimy sobie stwierdzenie z poprzedniej części - Akita Inu waży, czy posłuszeństwo poleceniu jest przydatne - szybko stanie się jasne, dlaczego trening klikerowy szczególnie nadaje się do szkolenia tej rasy.

Ale dlaczego nazywa się to treningiem klikerowym? Kliker to niewielkie urządzenie, które wykorzystuje się w tej metodzie szkolenia. Zazwyczaj można sobie wyobrazić jego funkcję w następujący sposób: Naciskasz przycisk lub metalową zakładkę i słychać dźwięk klikania. Takie urządzenie nie jest absolutnie niezbędne do tego typu treningu. Równie skuteczny jest każdy inny dźwięk, który zostanie specjalnie wywołany w pożądanej sytuacji, niezależnie od tego, co to jest: gwizdek, klaskanie lub krótki sygnał wiadomości odtwarzany z telefonu komórkowego. Ważne jest to, że pies łączy się z tym dźwiękiem: To, co robię teraz, jest dobre i oznacza, że jestem nagradzany!

Ale skąd czworonożny przyjaciel ma wiedzieć, że klikanie jest czymś pozytywnym? Tak inteligentne jak Akita Inus są, naturalnie same nie zdają sobie sprawy z tego faktu. Stawianie się i mówienie zwierzęciu: "Jeśli słyszysz klik, to znaczy, że robisz coś dobrze", oczywiście w niczym nie pomoże. Musisz nauczyć zwierzę tego faktu w praktyczny sposób.

Trening klikerowy wykorzystuje warunkowanie klasyczne. Jeśli ten termin nic dla Ciebie nie znaczy, to termin pies Pawłowa może. Rosyjski profesor Iwan Pietrowicz Pawłow przeprowadził na początku XX wieku eksperyment, w którym za pomocą dzwonka w obecności swoich psów wytworzył bodziec akustyczny. Na początku ten dźwięk nie miał żadnego wpływu na zwierzęta, ponieważ nie miał dla nich specjalnego znaczenia, był to po prostu hałas jak każdy inny. Następnie Pawłow zaczął karmić swoje psy natychmiast po dźwięku dzwonka. Po otrzymaniu jedzenia psy zaczęłyby się ślinić. Pawłow powtarzał to przez dłuższy czas. Po jakimś czasie tylko zatrąbił na dzwonek, ale nie dostarczył zwierzętom jedzenia zaraz po nim. Psy mimo to zaczęły się ślinić, mimo że nie dostały jedzenia, ponieważ nauczyły się, że dźwięk dzwonka = jedzenie.

Podsumowując jeszcze raz: Sam dźwięk dzwonka nie ma dla psa z natury żadnego znaczenia. Można jednak wytrenować u zwierzęcia odruch warunkowy, kojarząc od razu dźwięk z konsekwencją. Nawet jeśli ten odruch jest wytrenowany, to po wytrenowaniu nie można go stłumić bardziej niż odruchu wrodzonego. Eksperyment Pawłowa jest tylko jednym z przykładów tego zjawiska. Nawiasem mówiąc, nie występuje to tylko u zwierząt, ale także u ludzi, i nie zawsze tylko celowo.

Wyobraź sobie, że jesz swoje ulubione jedzenie i zjadasz tak dużo, że po tym doświadczasz silnych mdłości, które utrzymują się przez kilka dni. Bardzo możliwe, że następnym razem, gdy będziesz mieć przed sobą swoje ulubione jedzenie, automatycznie poczujesz mdłości. Ponownie, pamiętaj o tym, jeśli chodzi o szkolenie swojego Akita Inu, czy to poprzez szkolenie klikerowe, czy inne metody: Negatywne skojarzenia zakorzeniają się tak samo jak pozytywne.

Być może zastanawiasz się teraz: wszystko pięknie, ale czy nie osiągnę tego samego efektu, jeśli po prostu nagrodzę mojego Akita Inu za pożądane zachowanie smakołykiem, bez wcześniejszego wytrenowania u niego pozytywnego połączenia z dźwiękiem kliknięcia? Co do zasady, jest to prawidłowe. Trudność z tym "prostym" sposobem nagradzania polega jednak na tym, że odpowiednie wyczucie czasu może okazać się bardzo trudne.

Przykład: Jak już kilkakrotnie wspomniano, Akita Inus mają silny instynkt łowiecki. Podczas spacerów doświadczysz, że zwierzęta lubią wędrować przed tobą, za tobą lub metry obok ciebie, ale niekoniecznie zwracają na ciebie uwagę i z pewnością nie chodzą na szpilkach, co byłoby pożądane w niektórych sytuacjach. Teraz jednak może się zdarzyć, że Akita Inu znajdzie się na sekundę lub dwie w pozycji tuż obok ciebie, co może być zinterpretowane jako "chodzenie na pięcie". Teraz możesz gorączkowo grzebać w kieszeni w poszukiwaniu smakołyku, szybko go pochwalić i dać mu nagrodę. Jest jednak prawdopodobne, że Akita Inu będzie oddalał się o metry, zanim pochwała do niego dotrze, i nie będzie w stanie powiązać "chodzenia obok właściciela" z "nagrodą".

Jeśli pracowaliście już z klikerem lub innym wyraźnym, krótkim dźwiękiem, całość przebiega następująco: Akita Inu przechodzi tuż obok Ciebie przez krótką chwilę, a Ty wykorzystujesz dokładnie ten moment do aktywacji klikera. Dla Akity Inu jest jasne: to co robię jest dobre i zostanę za to nagrodzony. Mówiąc wprost: prawidłowe wyczucie czasu jest o wiele łatwiejsze i mniej stresujące z pomocą szkolenia klikerowego!

Trening klikerowy w praktyce wygląda teraz tak: Zwracasz pełną uwagę na swoją Akitę Inu i aktywujesz kliker. Natychmiast po tym dajesz psu smakołyk. Ważne jest, abyś robił to *od razu* i za każdym razem w początkowej fazie treningu. To ostatnie jest szczególnie ważne w przypadku Akita Inus, bo jak już wspomniano, konsekwencja jest u tych zwierząt be-all and end-all - zarówno w szkoleniu klikerowym, jak i w egzekwowaniu zasad. Ponadto, zasadniczo mówi się, że w szkoleniu psów połączenie między akcją a reakcją powinno być wykonane w ciągu jednej sekundy, w przeciwnym razie zwierzę nie będzie w stanie dokonać wyraźnego połączenia. Powtórz tę procedurę - kliknij-oddaj - około dwadzieścia do trzydziestu razy z rzędu, chętnie także raz jeszcze następnego dnia. Inteligentny Akita Inu bardzo szybko zrozumie znaczenie dźwięku, co tworzy podstawę do szkolenia klikerowego. Teraz ta technika może być stosowana w życiu codziennym, we wszystkich sytuacjach, w których chcesz nauczyć swojego Akita Inu pożądanego zachowania.

Rysunek 16Szkolenie z użyciem klikera

Trenuj ważne komendy

Są pewne komendy, które każdy pies musi opanować, aby zachować jak największą swobodę. Chodzi o definiujące komendy "Wyłącz", "Chodź (tu)", "Zostań" i "Stój". Problem w tym, że jedno polecenie obowiązuje ostatecznie, dopóki nie zostanie zastąpione innym. Żaden Akita nie będzie chciał robić tylko tego, co mu się każe przez cały czas. To ostatecznie oznaczałoby, że musiałby zostać na swoim miejscu na zawsze lub posłuchać innego polecenia. Dlatego słowo delete jest tak samo ważne jak słowo command. W przeciwnym razie Twój Akita sam zdecyduje, co będzie robił dalej.

Określanie poleceń

Twój Akita musi nauczyć się, czego oczekujesz od niego, gdy wypowiadasz słowo komendy i zaakceptować, że musi być posłuszny.

Off: Twój pies musi natychmiast przerwać działanie. Bardzo przydatne, gdy ma zamiar przegryźć jej ulubiony drogi but. Co ważniejsze, możesz użyć tego słowa, aby zasygnalizować swojemu Akicie, że nie chcesz być broniony. Ćwiczenie komendy podczas zabawy: Gdy słychać komendę "off", jest to zakończone. Jak tylko pies zrozumie znaczenie, połóż przed nim element zabawy lub smakołyk i wyraźnie powiedz "Off". Uniemożliwiaj psu aportowanie zdobyczy, zanim wypowiesz komendę do odbioru.

Przyjdź (tu): Komenda ta służy do przywołania psa do siebie w każdej chwili. Praktykuj to w domu. Zawołaj psa po imieniu i wydaj komendę "Chodź" pokazując jednocześnie smakołyk. Pochwal Akitę, gdy jest posłuszny i daj nagrodę. Komenda musi być wprowadzona w życie zanim pies będzie mógł chodzić poza smyczą. Musisz umieć w każdej sytuacji przywołać go do siebie natychmiast za pomocą komendy.

Stay: Słowo to służy do przytrzymania psa w dowolnym miejscu, nie może on podążać za Tobą ani iść na poszukiwania. Przećwicz to w domu. Komenda "Zostań" i odejście na kilka kroków. Jeśli pies podąża za tobą, zanieś go z powrotem do miejsca, z którego wyszedł bez pozwolenia. Może opuścić miejsce, gdy zawołasz go słowami "Chodź" lub gdy tylko komenda zostanie odwołana.

Stój: Komenda ta ma na celu przede wszystkim uniemożliwienie twojemu Akita Inu pośpiesznego wejścia w niebezpieczną sytuację. Musi siedzieć bardzo dobrze, bo w praktyce komenda brzmi, gdy pies idzie kilka metrów przed nami. Powinien zatrzymać się natychmiast po wywołaniu komendy. Poćwicz to na zewnątrz, ze spuszczoną ze smyczy Akitą. Na spacerach chodzi na luźnej, wiszącej smyczy. Smycz musi być jednak na tyle napięta, by w każdej chwili można było jednym ruchem zatrzymać psa. Zawołaj "Stój" jednocześnie napinając smycz tak, aby pies nie mógł przebiec ani jednego kroku dalej. Podejdź do psa i pochwal go. Komenda ta może uratować psu życie, jeśli zmierza w kierunku ruchliwej ulicy.

Nadpisywanie poleceń

W każdej chwili musisz mieć możliwość odwołania komend "Zostań" i "Stań". Praktyczna jest również możliwość anulowania polecenia "Wyłącz". Z pewnością nie będziesz chciał pozwolić psu na zniszczenie buta wieczorowego, po prostu zabierzesz to, gdy pies go puści. Ale "Off" służy również do przypomnienia psu o rankingu w stadzie.

Nie ma znaczenia, które słowo anuluje poprzednie polecenie, ale zawsze musi być takie samo. "You may", "Now" czy "Hop" są odpowiednie. Twój pies szybko nauczy się tej komendy. Ale uwaga, on też zinterpretuje to tak, jak uzna za stosowne, czyli uzna to za powszechne przyzwolenie.

Akita, który wie, że nie wolno mu zabrać mięsa leżącego na blacie kuchennym, będzie uważnie słuchał tego, co mówisz. "Ale teraz koniec dyskusji" do dziecka może więc doprowadzić do tego, że pies sam sobie pomoże, jeśli "teraz" jest słowem kasującym. Nie będzie rozumiał, dlaczego nie wolno mu było tego robić, bo ty na to pozwalałeś. Dlatego wybierz termin, którego zwykle nie używasz.

Inne polecenia, które są przydatne.

Komendy "pięta", "siad", "dół", a także zwijanie są częścią większości szkoleń psów i psich sportów. Są one dość pomocne w codziennym życiu, ale Akita Inu nigdy nie będzie ich wykonywał tak chętnie jak na przykład pies pasterski. Ostatecznie pies musi widzieć cel w posłuszeństwie. Ponieważ jest zafiksowany na tobie, chętnie wykona polecenie, bo sprawia ci to przyjemność. Jeśli jednak będziesz chciał go wiercić i ciągle nalegać, by wykonywał twoje polecenia, dojdzie do wniosku, że i tak nigdy nie jesteś zadowolony i będzie działał według własnego uznania. Nie trzeba dodawać, że zagrozi to twojej pozycji jako lidera paczki, ponieważ twój pies nie będzie już traktował cię poważnie.

Nigdy nie zapominaj o pochwaleniu swojego Akity, gdy wykonał polecenie. Możesz przyjąć za pewnik, że będzie siedział na komendę. Twój pies oczekuje uznania, ponieważ był uprzejmy pójść za nim. Pamiętaj o tym podczas treningu i nie przesadzaj. Wystarczy, że Twój młody Akita będzie posłuszny komendzie dwa lub trzy razy dziennie. Nie proś go o więcej. Nie będzie rozumiał, dlaczego musi wykonywać cały czas to samo polecenie.

Stopa

Kiedy wydasz komendę "Heel", Twój Akita Inu powinien przejść blisko Ciebie. Będziesz miał go wtedy pod lepszą kontrolą i pokażesz nadchodzącym przechodniom, że pies jest posłuszny.

W psich sportach i w teście psa towarzyszącego pies musi iść po twojej lewej stronie z łopatką dokładnie na wysokości kolan. Powinien patrzeć na ciebie bez przerwy i wykazywać wysokie napięcie ciała. Zapomnij o wymuszaniu takiego zachowania na Akicie. To jest sprzeczne z jego naturą. Wystarczy, że pozostanie na mniej więcej tej samej wysokości co Ty i będzie podążał za Twoim tempem i zmianami kierunku.

Pamiętaj, że to ćwiczenie wymaga od psa pełnej koncentracji. Nie wymagaj od niego, by cały czas trzymał się za piętę. Na początku wystarczą dwie do trzech minut. Jeszcze później ćwiczenia powinny trwać maksymalnie 10 minut.

Przed treningiem zastanów się, po której stronie powinien chodzić Twój pies.

	Po prawej stronie	Po lewej stronie
Advantage	Jeśli idziesz prawą stroną, zwróconą w stronę jezdni, chodnika, pies znajduje się między tobą a ruchem samochodowym. Nie może jej tak łatwo zepchnąć na jezdnię. Zazwyczaj nadjeżdżających przechodniów mija się z prawej strony. Jesteś między obcymi a psem.	Na drogach bez chodnika należy chodzić po lewej stronie, aby spotkać się z ruchem ulicznym. Pies chodzi po często nieutwardzonym poboczu.

Wada	Jeśli idziesz prawą stroną chodnika po stronie zwróconej w stronę domów, pies jest między tobą a ścianami. Może cię zepchnąć na jezdnię.	Nadjeżdżających przechodniów zazwyczaj mija się z prawej strony. Twój pies jest między obcymi a tobą. Będzie chciał cię chronić, a ty masz mniej okazji do natychmiastowej interwencji.

Dlatego zwykle korzystne jest, jeśli pies chodzi po prawej stronie. Zasada w testach, że pies musi chodzić po lewej stronie ma swoje źródło w myślistwie. Myśliwi, przynajmniej jako praworęczni, noszą karabin po prawej stronie. Jeśli uczynią go gotowym do strzału, istnieje niebezpieczeństwo, że przypadkowo zastrzeli psa, który jest po jego prawej stronie.

Można też wyszkolić Akitę, aby szedł zarówno w prawo, jak i w lewo. Musisz jednak wymyślić drugie słowo komendy, aby pies wiedział, na którą stronę go kierujesz.

W ten sposób pies uczy się chodzić blisko Ciebie już jako szczeniak.

Sztuczka jest prosta, bierzesz smakołyk do ręki. Twój Akita będzie to uważnie śledził. Na przykład trzymaj ją w lewej ręce i powiedz "stopa". Naturalnie pies przesunie się na lewą stronę i będzie próbował do niej dotrzeć.

Przejdź kilka kroków, upewniając się, że pies nie dosięgnie smakołyku w Twojej dłoni. Na początku wystarczy przejść około 10 metrów, zanim wypowie się słowo gaszące odkupienie i poda Akicie smakołyk.

Wydłużaj dystans, a później ćwicz także zmiany kierunku i tempa. Na koniec ćwiczenia pies otrzymuje nagrodę. Nie zapomnij anulować polecenia. Można też zamiast słowa delete dodać komendę "Sit".

Przykład z życia codziennego:

Zbliżasz się do drogi z Akitą. Pozwól mu się obrócić na pięcie kilka metrów, zanim do niego dojdziesz. Powiedz "Siadaj" przed przejściem przez jezdnię. Pies nie może przekroczyć, dopóki nie wypowiesz ponownie słowa delete lub "heel".

W ten sposób zapewniasz rutynę, która uniemożliwia psu przebiegnięcie przez drogę bez komendy. Oczywiście nie ma pewności, że jeszcze kiedyś nie będzie gonił kota, który jest po drugiej stronie drogi. Ale fakt, że musi złamać rutynę, zwykle sprawia, że reaguje z opóźnieniem. To z kolei daje możliwość interwencji.

Siedzenie

Z jednej strony komenda zwiększa uwagę Akity, bo czeka on z niecierpliwością na to, co się teraz stanie i zwalnia swoją aktywność. Jak tylko twój Akita zrozumiał, że nie wolno mu po prostu wstać, zanim nie pozwolisz, komenda ta jest również doskonała do regularnego zapewniania sobie pozycji szefa w stadzie.

Przykład:

Przygotowujesz psu jedzenie, a on podekscytowany harcuje wokół twoich nóg. Komendą "Siad" można "zaparkować" psa nieco dalej. Nie wolno mu jeść, dopóki nie powiesz słowa "delete". Zabieg ten często zapobiega również przyjmowaniu przez psa jedzenia od obcych osób lub podnoszeniu czegoś nieprzyjemnego z ulicy.

Jak ćwiczyć "Siad

Pokaż psu smakołyk, stojąc przed nim. Trzymaj ją nad jego głową, aby musiał ją ostro podnieść, by ją obejrzeć. Większość psów siada dla wygody, bo siedząc łatwiej jest pilnować smakołyku. Możesz też delikatnie nacisnąć na tylną część ciała, jeśli Twój Akita nie siedzi.

Zadbaj o to, aby Twój pies nie musiał siedzieć w kałuży lub na rozbitym szkle. Ufa ci. Jeśli wykonanie polecenia jest dla niego niewygodne, to w przyszłości będzie generalnie patrzył, gdzie ma siedzieć.

Nagradzaj Akitę tylko wtedy, gdy siedzi, tzn. jego tył dotyka ziemi. Jak tylko Twój pies zrozumie komendę, ćwicz z nim "Siad", gdy stoi obok Ciebie. Później powinien też robić to, gdy wydajesz komendę z daleka.

Rysunek 17: Sygnał wizualny "Siadaj

W ten sposób szczeniak uczy się komendy "Siad!":

- Młode szczenięta, które nie miały jeszcze doświadczenia z ćwiczeniami w nauce, bardzo szybko rozumieją komendy "siad" i "dół".
- Na "Siad" weź smakołyk między kciuk i środkowy palec.
- Przesuń rękę ze smakołykiem w górę obok jego nosa.
- Gdy tylko pośladki przesuną się w kierunku podłogi, wydaj komendę "Siad!".
- Jeśli szczenię siada, ale potem próbuje stanąć na tylnych łapach, należy przerwać to zachowanie ostrym "Nie".
- Kiedy szczeniak usiadł, nagroda jest podawana natychmiast.
- Za każdym razem odczekaj dłużej przed podaniem smakołyku.
- Po kilku sesjach ćwiczeniowych wypowiadaj komendę "Siad" bez smakołyka, ponieważ szczeniak powinien reagować tylko na sygnał ręką.

Miejsce

Ilustracja 18Pies Akita Inu robi miejsce.

Przy tej komendzie wyciągasz Akitę jeszcze bardziej stanowczo, bo dłużej trwa jego wstawanie na nogi z pozycji, którą musi przyjąć, gdy siedzi. Prawidłowo wykonany leży na brzuchu z wyciągniętymi przednimi nogami.

Uwaga: Nie należy przeceniać opóźnienia czasowego. Kiedy pies ma na to ochotę, błyskawicznie zrywa się z nóg i biegnie. Budujesz barierę mentalną, a nie fizyczną. Twój pies musi aktywnie nie słuchać twojej komendy, zanim zacznie uciekać. To często zapobiega jego niekontrolowanej ucieczce. Jeśli szybko zareagujesz, zwykle możesz go zatrzymać komendą, zanim zrobi jakąkolwiek szkodę lub coś mu się stanie.

Trening tej komendy można rozpocząć, gdy tylko Akita opanuje komendę "Siad". Musi zaakceptować fakt, że nie wolno mu wstać, więc jego tył musi pozostać na ziemi.

Weź w rękę smakołyk i przynieś go blisko ziemi przed swoim Akitą. Trzymaj go w dłoni. Twój Akita powinien być w stanie wyczuć jego zapach. Powtarzając komendę "Siad", zabroń mu wstawać po smakołyk.

Musi więc położyć się na podłodze z wyciągniętymi przednimi łapami, by móc sięgnąć po smakołyk bez wstawania. Powiedz "Down" jak tylko się położy i nagrodź psa.

Kiedy opanuje "Siad" i "Dół", połącz ćwiczenie z "Zostań". W przypadku tego drugiego zakazujesz swojemu Akicie podążania za Tobą. Może jednak sam zdecydować, czy stoi, siedzi czy leży. Kombinacją komend określasz również postawę, w której musi pozostać.

Zwiększaj trudność skacząc przed psem, rzucając mu piłkę lub chodząc wokół niego. Nie należy jednak przesadzać. Jeśli Twój Akita chce wstać, skieruj go ponownie na "Siad", ale odwołaj polecenie po kilku sekundach.

W ten sposób szczeniak uczy się komendy "Siad!":

- Kiedy pies już się usadowi na swoim miejscu lub kocu, możesz go pogłaskać, jednocześnie powtarzając w kółko "Siad". W ten sposób kojarzy słowo "siad" z pozytywnym doświadczeniem.

- Gdy tylko zauważymy, że szczeniak jest zmęczony, zwabiamy go do koszyka, na przykład smakołykiem. Jeśli położy się w koszyku, powtarzasz słowo "Siad".

- Po powtórzeniu tego ćwiczenia przez jakiś czas, następnym krokiem jest próba wysłania szczeniaka do kocyka lub koszyka tylko poprzez wypowiedzenie słowa "siad". Jeśli dzieje się to bez dalszych problemów, to należy się duża pochwała.

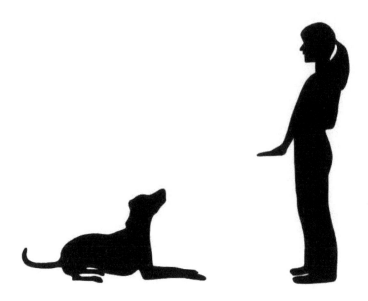

Rysunek 19: Znak wizualny "Miejsce

Odzyskanie

Nieliczne Akity uwielbiają bawić się zabawkami. Zazwyczaj nie lubią gonić za Frisbee, ringiem czy piłką i przynosić ich do swojego pana lub pani. Ale ściąganie polega również na tym, że pies oddaje swoją "zdobycz". Ta część ćwiczenia ma jak najbardziej sens. Przecież nie zawsze musisz reagować ostrym zakazem "off", gdy Twoja Akita trzyma w łapie coś, co chcesz od niej wziąć. Spróbuj wymienić.

Zaproponuj psu smakołyk i powiedz "odłóż". Twój Akita może swobodnie zdecydować, czy weźmie smakołyk, czy nie. Jeśli chce ją wziąć, będzie musiał odłożyć to, co ma w ustach. Daj psu nagrodę i natychmiast sięgnij po przedmiot wymiany. W żadnym wypadku pies nie powinien dostawać obu tych produktów.

Rysunek 20Sygnał wizualny "Wył.

Utrwalenie podstawowych poleceń

Ćwicz codziennie komendy "Wyłącz", "Zostań", "Chodź" i "Stój". Włącz do ćwiczeń "piętę", "siad" i "dół". Najlepiej wykorzystać sceny z życia codziennego, np. karmienia. Unikaj wykonywania zawsze tej samej sekwencji, ponieważ Akita powinien być posłuszny każdej komendzie. Jeśli będziesz wykonywać identyczne ćwiczenia codziennie, pies zacznie odgrywać scenę całkowicie. Przykład ilustruje ten problem.

Wołasz swoją Akitę słowem "Chodź", wejdź do kuchni. Tam musi "Siedzieć", aż jego jedzenie znajdzie się na miejscu do karmienia. Wtedy mówisz "Hop" i on może jeść. Prawdopodobnie po kilku dniach, gdy tylko powiesz "Chodź", Twoja Akita pójdzie do miejsca karmienia i będzie na Ciebie czekać.

Urozmaić sekwencję. Na przykład, niech Akita "chodzi". Nie idą od razu do kuchni, ale robią objazdy przez łazienkę, salon i sypialnię. Następnego dnia poproś o "sit" przy drzwiach wejściowych i zawołaj go, gdy jedzenie będzie w miejscu karmienia. Krótko przed tym żądać "Stać" przed dopuszczeniem do jedzenia.

Twoje ciągle zmieniające się zachowanie sprawia, że życie staje się dla psa bardziej pełne przygód. Jednocześnie pokazujesz, że może Ci zaufać, bo na końcu zawsze jest jedzenie.

Może się zdarzyć, że Akita najpierw obwącha miejsce, w którym ma się położyć. Pozwól na to, on po prostu musi się w końcu położyć.

Kluczami do szkolenia Akity są cierpliwość i konsekwencja. Używanie siły w celu wyegzekwowania komendy lub używanie siły fizycznej w celu udowodnienia psu dominacji jest absolutnie złe. Pokaż suwerenność. Jesteś inteligentnym przywódcą stada, który regularnie dostarcza jedzenie. Jesteś odważny i stawiasz czoła obcym, co oznacza, że zawsze trzymasz psa na boku odwróconego od przechodniów. Jeśli Twój Akita zaufa Twoim zdolnościom przywódczym, podporządkuje się Tobie.

Sporty dla psów Akitów

Akity nie są samotnikami, bo chcą żyć w stadzie. Za potencjalnych wrogów uważają jednak zwierzęta i ludzi, którzy nie należą do ich stada. Szczególnie Akita Inus, które przez pierwsze 20 miesięcy życia nie miały kontaktu z innymi psami, zazwyczaj do końca życia mają problem z obcymi psami. Nie popełnij błędu. Twój mały ulubieniec będzie entuzjastycznie bawił się ze współtowarzyszami w szkole dla szczeniąt. Dorosła Akita zazwyczaj zachowuje się zupełnie inaczej. Może to stać się problemem w psich sportach, jeśli pies najpierw chce wyjaśnić kolejność pierwszeństwa z innymi psami, zanim poświęci się aktywności sportowej.

Proszę nie przeceniać chęci Akity do ruchu. Większość psów tej rasy to raczej spokojni spacerowicze, którzy lubią podążać za zapachem. W oczach Akity bieganie jest opłacalne tylko wtedy, gdy ma na celu złapanie zwierzyny. W związku z tym psy mają małą motywację do uczestnictwa w agility czy mobility. Może być jednak dla nich zabawą, gdy część kursu zrealizują wspólnie ze swoim panem lub panią. Nie rozwiną jednak ambicji, czyli nie będą ani wystarczająco szybkie, by zdobywać punkty w zwinności, ani nie będą pracować tak precyzyjnie, jak wymaga tego mobilność. Dogdance może spodobać się Akicie, ponieważ ćwiczenie niektórych "sztuczek" razem z Tobą odpowiada jego naturze. Ale dotyczy to tylko sytuacji, w której nie przesadzisz.

Akity zazwyczaj nie są zainteresowane flyballem czy treibballem, ponieważ większość psów tej rasy nie bawi się zabawkami. Nie są to też psy pasterskie, wyhodowane do wspólnego strzyżenia stad.

Jeśli będziesz ćwiczyć posłuszeństwo ze swoją Akitą, szybko staniesz się pośmiewiskiem. Twój Akita doskonale potrafi słuchać komend takich jak "pięta", "siad" czy "dół", które wydajesz z daleka, ale będzie to robił na swój indywidualny sposób. Nie należy oczekiwać chętnego i szybkiego wykonywania poleceń. Ale powinien cieszyć się dyscypliną rozpoznawania obiektów.

Wypróbuj z młodym Akitą, które zajęcia sportowe go ekscytują, ponieważ jest to zaleta, jeśli twój pies ma kilku własnych przyjaciół. Poza szkołami dla psów, praktycznie nie jest dziś możliwe, aby psy spotykały się ze sobą przypadkowo. Jeśli twój Akita Inu nie wykazuje entuzjazmu, zaakceptuj to. Chętnie też spaceruje z panią sam na sam.

Niepożądane zachowanie

Akita Inu zachowuje się zgodnie ze swoją naturą i wychowaniem. Innymi słowy, jeśli pokazuje zachowanie, które ci się nie podoba, najpierw sprawdź swoje postępowanie z psem. Ale może masz złe oczekiwania. Akita nie wykazuje posłuszeństwa kaduka. Na nudne i ciągłe powtarzanie ćwiczeń reaguje uporem. Owczarka można szkolić tak długo, aż będzie posłuszny poleceniom, niezależnie od tego, jak bardzo są one czasem absurdalne.

Jak bardzo pożyteczne jest nauczenie psa, by wgryzał się w ochronną rękę i nie puszczał jej, dopóki właściciel nie powie "off"? Nie wolno mu puścić, nawet jeśli noszący ramię go uderza. Cała sprawa nie ma nic wspólnego z tym, że pies chroni swojego właściciela, bo jak stale podkreślają operatorzy tego sportu, pies traktuje ochronne ramię jako zabawkę.

Walczy o tę "zdobycz". Co tak naprawdę robią psy, gdy prawdziwy napastnik ma na sobie ochronne ramię? Wgryzają się w niego i pozwalają się bić na śmierć kijem.

Nie należy się dziwić, jeśli Akita nie jest zainteresowany takimi zabawami. Może też poważnie się bronić i ugryźć rękę, która go uderza.

To tylko jeden przykład, który pokazuje problemy w wychowaniu Akity. Nie zgodzi się na wykonywanie poleceń, które wydają mu się bezsensowne. Po co ma w kółko chodzić "na pięcie", skoro już cztery razy pokazał, że potrafi to zrobić. Nie będzie ćwiczył, dopóki nie będzie chodził dokładnie na poziomie twojego ramienia.

Część z tego, co uważasz za niepożądane zachowanie, jest częścią charakteru psa. Nie można go przekształcić do swoich upodobań.

Dzięki szkoleniu można i trzeba przełamać u Akity nawyk gryzienia podczas zabawy, skakania na powitanie i ciągnięcia na smyczy. Te złe nawyki wynikają z błędów szkoleniowych i zazwyczaj można je skorygować. Szkolenie pomaga również w przypadku lęków, np. podczas jazdy samochodem lub wizyty u weterynarza, a także sikania w sytuacjach stresowych, wrzeszczenia i szczekania, gdy Akita jest sam.

Żaden pies nie ma tendencji do destrukcji. Ale będziesz musiał poradzić sobie z silnym instynktem zabawy u szczeniąt. Jedyne co pomaga to dyscyplina z Twojej strony, nie psa. Wyczyść wszystko, co może zniszczyć.

Gryzienie w grze

Normalne jest, że młode psy podczas siłowania się ze sobą gryzą sobie żuchwy. Młodszy brat ma w buzi zabawkę i walcząc o nią dostaje kilka kęsów. Rozwija się to w bójkę między młodymi psami tej samej rangi.

Twoja ręka z zabawką ma dla psa takie samo znaczenie jak pysk rodzeństwa. Może się to wydawać zabawne w przypadku szczeniaka, ale z pewnością nie jest tak w przypadku dorosłego psa.

Dlatego konsekwentnie zabraniaj swojemu psu gryzienia. Natychmiast przerwać zabawę. Daj jasno do zrozumienia, że odczuwasz ból. Twój Akita nie chce cię skrzywdzić. Nie wie jednak, że ludzka skóra jest bardziej wrażliwa niż futro jego rodzeństwa.

Skoki na powitanie

Twój pies cieszy się, że wróciłeś i chce polizać Cię po twarzy. To jest jego sposób na przywitanie się z tobą. Wyskakuje na ciebie, żebyś mógł go dosięgnąć. Urocze i zabawne jak szczeniak walczy o osiągnięcie celu. Pełnoletnia Akita pewnie je przewróci, oczywiście to nie jest takie zabawne. Dlatego odwróć się, gdy tylko mały Akita popędzi w twoją stronę. Ignoruj jego wysiłki, aż przestanie. Dopiero potem schyl się, by go przywitać. Może teraz lizać twoje ręce.

Metoda ta pomaga również w przypadku pełnoletniej Akity, ale trzeba umieć poradzić sobie z napaścią. Pomocne jest odwrócenie się plecami do zwierzęcia i oparcie się o ścianę, aby nie stracić równowagi.

Ciągnięcie na smyczy

Twój pies będzie ciągnął na smyczy tylko wtedy, gdy zaniedbałeś ćwiczenia w prowadzeniu smyczy lub z wygody używałeś smyczy automatycznej. Patrz rozdział "Przyzwyczajanie się do smyczy". Nigdy nie popełniaj błędu przypominania Akicie, żeby nie ciągnął, poprzez mocne szarpanie smyczy.

Po prostu stój bez komentarza, aż pies przestanie ciągnąć i smycz będzie luźna. Dopiero potem przejdź dalej.

Niektóre Akity wytrzymują zaskakująco długo. W końcu wywodzą się od psów, które ciągnęły ładunki. Jeśli trwa to zbyt długo, spróbuj wykonać komendę "pięta". Jeśli twój Akita to wie, przyjdzie do ciebie. Teraz przejdź kilka kroków przed podniesieniem komendy. Jeśli pies natychmiast zacznie ponownie ciągnąć, powtórz ćwiczenie.

Poniższa sztuczka zwykle pomaga, ale trzeba przećwiczyć niezbędne ruchy. Gdy je opanujesz, będziesz całkowicie zaskoczony, gdy staniesz przed swoim psem. To go zadziwia i nie stresuje jak tak zachwalane szarpanie na smyczy. Pokazujesz psu, że w każdej sytuacji staniesz przed nim natychmiast jako szef, jeśli zrobi coś złego.

Przymocuj 2 m smyczy do jakiegoś przedmiotu i trzymaj ją napiętą przy pętli.

Teraz zrób krok w kierunku smyczy nie zmieniając napięcia. To najtrudniejsza część ćwiczenia, bo jeśli zmieni się napięcie, pies zauważy, co robisz. Robiąc krok, obróć się w połowie drogi w kierunku smyczy i chwyć ją wolną ręką. Trzymasz więc smycz przed swoim ciałem obiema rękami.

Skręcaj dalej w tym kierunku. Jeśli wykonasz ten ruch prawidłowo, smycz automatycznie owinie się wokół Twojego ciała, a Ty podejdziesz do psa niezauważony. Napięcie smyczy musi pozostać niezmienione.

Ilustracja 21: Nasza mała sztuczka ze smyczą, ©

Teraz jesteś tak blisko punktu zaczepienia, że możesz stanąć przed nim wykonując jednocześnie szeroki półobrót.

Kiedy już opanują ruch, weź swoją Akitę na 2-metrową smycz. Drugi koniec zahaczamy o oczko, tworząc pętlę, którą trzymamy mocno w dłoni. Gdy pies ciągnie, zatrzymaj się. Wezwij go do "pięty". Jeśli nie przyjdzie "Wrap" wokół psa, aż będziesz przed nim. Żądanie "Sit". Pochwal swojego Akitę i zrób jeszcze kilka kroków z komendą "Heel", zanim pozwolisz mu na luźne kłusowanie przed tobą.

Strach w samochodzie

Ściśle rzecz biorąc, strach nie jest złym nawykiem, ale niepewnością. Być może Twój pies ma zasadniczo złe doświadczenia z samochodami. Na przykład każdy wyjazd kończył się u weterynarza. Ale hałasy i wibracje również przerażają psa. Twój samochód może brzmieć inaczej niż pojazdy, które zna.

Zacznij od budowania zaufania w nieznanym środowisku. Zasadniczo umieść psa w fotelu, który ma zajmować podczas podróży. Więc włóż go do jego pudełka lub przypnij do tylnego siedzenia. Daj mu kilka smakołyków, aby zbudować pozytywne wspomnienia związane z samochodem.

Gdy tylko pies szczęśliwie wsiądzie do samochodu, czas rozpocząć kolejne ćwiczenia. Zostaw silnik włączony. Wyłącz go po kilku minutach, jeśli Twoja Akita reaguje stresem. Jeśli po uruchomieniu pozostaje spokojny, przejedź z nim kilka metrów.

Niektóre psy bez problemu akceptują teraz jazdę samochodem. Inni po krótkim czasie znów się boją. Jeśli Twój Akita zacznie mocno dyszeć, zrób przerwę, aż się uspokoi. Jeśli to możliwe, zabierz go na spacer.

Postaw się na miejscu psa. Jeśli każda podróż samochodem kończy się na parkingu, gdzie musi godzinami czekać w samochodzie, aż zrobisz zakupy, szybko skojarzy samochód z doświadczeniem, które nie jest dla niego komfortowe. To samo dotyczy sytuacji, gdy samochód w zasadzie oznacza wycieczkę do weterynarza. Zabieraj psa na wypady, które sprawiają mu przyjemność.

Strach u weterynarza

Rysunek 22Pies u lekarza.

Jako szczeniak większość psów ma niewielki lęk przed weterynarzem, ponieważ nie mają prawie żadnych złych doświadczeń. Prawie nie zauważają ukłucia szczepień, ale badania czy pobieranie temperatury w odbycie są postrzegane jako ingerencja w ich prawa osobiste. Akity są pod tym względem bardziej wrażliwe niż większość psów. Wizyta u weterynarza jest dla niego szczególnie nieprzyjemna, ponieważ musi tolerować dotykanie go przez obcą osobę.

W zależności od charakteru, zwierzęta reagują strachem. Już w samochodzie drżą, gdy tylko podejrzewają, dokąd zmierza podróż. Ale dzielna Akita może być również gotowa do walki z innymi. Co ostatecznie oznacza, że weterynarz musi go znieczulić, zanim będzie mógł go dokładnie zbadać. Stwarza to niemałe ryzyko.

Z tych powodów ważne jest, aby twój Akita zaakceptował cię jako niezawodnego przywódcę paczki. Ponadto nie wolno okazywać strachu ani niepewności. Od początku chodź pewnie na ćwiczenia z psem na smyczy. Pokaż psu, że weterynarz jest członkiem stada, który go przewyższa.

Konkretnie oznacza to, że pies wchodzi do pomieszczeń przy Twoim boku (stopie). Nie wleczesz go za sobą. Nie należy pocieszać psa, gdy ten okazuje strach, bo to sygnał, że rzeczywiście jest coś strasznego. Po prostu powiedz "off".

Jest to również słowo komendy, jeśli Twój Akita chce się oprzeć zabiegowi. Owszem, jest to nieprzyjemne dla psa, ale oczekujesz, że zniesie ten zabieg. Oczywiście tylko takie, które powodują jak najmniejszy ból.

Aby pies postrzegał wizytę u lekarza jako coś normalnego, powinieneś częściej odwiedzać gabinet razem z nim. Razem z psem podnieś jedzenie lub leki, takie jak kuracja odrobaczająca. Im częściej będzie chodził do weterynarza, tym bardziej się przyzwyczai.

Siusianie w sytuacjach stresowych

Problem ten występuje zazwyczaj wyłącznie u szczeniąt, głównie samic. Nie ma znaczenia czy jest to podniecenie pozytywne czy negatywne. Mały strumyk płynie, gdy maluch jest szczęśliwy lub przestraszony. Jeśli zareagujesz w niewłaściwy sposób, staje się to błędnym kołem, które czasem trwa do dorosłości.

Szczeniak Akita zerka z radości, bo wracają do domu. Besztasz lub jesteś zirytowany. Wrażliwy pies reaguje strachem i sika. Pamiętasz, że musisz zareagować spokojnie i powiedzieć kilka przyjaznych słów. Zdenerwowany pies potwierdza je potokiem radości, na co reagujesz złością. Oni rozumieją, o co w tym wszystkim chodzi. Zawsze zadziwiające jest to, ile moczu znajduje się w tak małym psie. Po prostu nie robi się pusto.

Kiedy zauważysz, że Twój pies reaguje w naturze, przygotuj się psychicznie. Wiesz, co nadchodzi i nie zwrócisz na to uwagi.

Upewnij się, że powitanie odbywa się w miejscu, w którym mały strumień nie może wyrządzić szkody. Na przykład, wejście do łazienki na wyłożoną płytkami podłogę. To tutaj odbywa się ceremonia powitania. Poczekaj, aż pies się uspokoi i pogłaszcz go na powitanie. Pozwól mu spokojnie polizać twoje ręce. Następnie wyczyść podłogę bez komentarza i w razie potrzeby umyj nogi.

Jedna z właścicielek z uśmiechem opowiadała, że zawsze zdejmowała buty i pończochy przed drzwiami wejściowymi, aby chronić swoje ubrania. Potem otworzyła drzwi wejściowe, zrobiła dwa kroki do łazienki, gdzie z radości wybiegł jej pies. Zignorowała to, aż pies ucichł, zanim zabrała się za usuwanie śladów tego wilgotnego powitania. Po tygodniu psucie się skończyło. Szczeniak przywitał ją burzliwie, ale sucho.

Yelp i kora

Twój pies nie lubi być oddzielony od stada. W jego naturze leży utrzymywanie kontaktu ze swoją grupą poprzez wokalizacje. Musi się więc nauczyć, że ty jako szef tego nie chcesz. Jednocześnie musisz mu przekazać, że go nie opuścisz. Zawsze będziesz do niego wracać.

Ważny jest pewien rytuał. Zawsze żegnaj się z psem tymi samymi słowami. Powinien wiedzieć, że nie zapomniałeś o nim. Idealnie byłoby, gdybyś zabrał go do jego łóżka i powiedział "Zostań". Następnie wyjdź za drzwi na pięć minut. Nie ma znaczenia, czy twój Akita wyje, czy nie. Niech się dowie, że wrócisz. Przedłużaj czas pobytu z dala od domu. Jeśli pies nie woła cię (wyje lub szczeka), przywitaj go jak zwykle. Jeśli stanie się hałaśliwy, wejdź do środka, skieruj go na swoje miejsce. Zażądaj "Stay" i wróć za drzwi. Powstrzymaj się od pozdrawiania go.

Celem jest nauczenie psa, że wrócisz. Powinien też nauczyć się, że wycie i szczekanie nie przynoszą mu pożytku i że nie życzysz sobie takiego zachowania. Psy zazwyczaj bardzo szybko się tego uczą. Początkowo nie hałasują po to, aby dokuczyć Tobie lub sąsiadom, czy też wywołać u Ciebie jakieś działania. Jego instynktem jest wzywanie stada, gdy został od niego oddzielony.

Jeśli jednak na każdy dźwięk natychmiast pędzisz do psa, uczy się on, że może cię zawołać i że ty również natychmiast przyjdziesz. Po pewnym czasie użyje tych środków, aby wyegzekwować, że nie musi zostać sam.

Innym problemem jest to, jaką długość nieobecności pies musi uznać za normalną, tzn. nie zacząć wołać sfory. Twój pies nigdy nie powinien zostać sam dłużej niż 8 godzin. Ale na pewno nie będziesz chciał spędzić tego czasu na składanym krześle w zasięgu słuchu na treningu. Na szczęście psy zazwyczaj mają wewnętrzny zegar. Zawsze zaczynają hałasować mniej więcej w tym samym czasie. Zapytaj sąsiadów, kiedy ich pies ziewa i szczeka. Ustaw go tak, abyś był w pobliżu tuż przed zwykłą godziną. Wejdź do mieszkania, gdy pies hałasuje i zaprowadź go na swoje miejsce bez witania się z nim i komendy "Zostań". A potem znów odejść.

Może upłynąć trochę czasu, zanim Twój Akita zacznie tolerować dłuższą nieobecność.

Jęczenie przy każdej okazji

Większość Akit nie ma tendencji do reagowania na dzwonek do drzwi orgiami szczekania. Krótkim dźwiękiem oznajmiają, że ktoś zbliża się do drzwi. Nie należy mu tego zabraniać. Obcy ludzie, którzy wpuszczają do mieszkania, zwykle ignorują dumne psy. To Ty jesteś szefem i w opinii Akity będziesz wiedział co robisz. W końcu nauczył się, że nie jest odpowiedzialny za bezpieczeństwo stada. Przynajmniej tak powinno być, jeśli zrozumieliście, że trzeba działać suwerennie. Wychodzisz naprzeciw nieznanemu i stajesz jak ochronny mur między nim a wszystkim, co napotkasz. Dlatego tak ważne jest, aby Twój Akita chodził na obcasach po lewej stronie, gdy mijasz obcych lub psy po prawej stronie.

Pies, który dziko pędzi do drzwi, gdy tylko zadzwoni dzwonek, zakłada, że powinien przejąć obronę terytorium. Wyścig do drzwi z psem jest błędem. Czy chcesz go wspierać? Czy atakujesz go, bo nagle domagasz się dominacji? Pies w tej sytuacji będzie czuł jedno lub drugie. Nie próbuj też zagłuszać jego szczekania. Działa to jako zachęta dla Akity. Zapraszasz do pościgu.

Niezależnie od tego, jaka jest przyczyna szczekania psa, tzn. wybucha on uporczywym szczekaniem, zachowaj spokój, bo spiesząc się, potęgujesz problem. Stań przed swoim psem, obejmij jego pysk i mów. Wyciągnij go za pomocą "siad" i "dół". Jeśli to konieczne, zamknij go w innym pokoju, to nie jego miejsce, aby przywitać gościa, zanim pozwolisz.

Sytuacje szczególne

Pies powinien mieć możliwość swobodnego poruszania się i przebywania poza smyczy. Ale jest to możliwe tylko w wyjątkowych przypadkach u Akity z kilku powodów. Na drodze do swobodnego biegania stoi silny instynkt łowiecki i jego wyraźny instynkt ochronny, a także fakt, że spotkania z obcymi psami są problematyczne.

Zanim odważysz się wypuścić Akitę poza smycz, komenda "Stój" musi być bezwzględnie opanowana. Twój pies musi zatrzymać się z pewnością na zawołanie. Najlepiej, jeśli będzie również posłuszny komendzie "Siad", gdy zawołasz go z daleka.

Spotkanie z innymi psami

Rysunek 23Nie tak powinny przebiegać spotkania.

Jak już wspomniano, Akity nie są psami towarzyskimi. W jego oczach obcy pies to intruz, którego chce przepędzić lub włączyć do stada na niższym stopniu. Z zasady przeciwdziałaj temu problemowi, także podczas spotkań na smyczy.

Jeśli Twój pies podchodzi do przechodniów lub psów szczekających, zareaguj odpowiednio. Musisz postawić się między nimi a psem. W żadnym wypadku nie ciągnij psa do siebie za smycz, bo to zwiększa jego niepewność, a tym samym problem. Lepiej owinąć się przed psem w sposób opisany w rozdziale "Ciągnięcie na smyczy".

Poznaj język ciała psów. Akita ma upośledzenie językowe, które często prowadzi do nieporozumień z innymi psami.

Pies jest zrelaksowany, gdy jego ogon zwisa luźno w dół. Twoja Akita nosi go jednak zwiniętego na plecach.

Rysunek 24: Psy przedstawiają się.

Wszystkie psy mają duży repertuar gestów uspokajających, którymi sygnalizują, że nie będą atakować:

- Podchodzą powoli, niemal w zwolnionym tempie. Często zygzakują ku sobie, a nie w linii prostej.

- Siedzenie, czasem drapanie się podczas tego, lub podnoszenie łapy w pozycji siedzącej oznacza, że nie żąda się wyższej rangi.

- Często pies sam się otrząsa, co oznacza stosunkowo niskie zainteresowanie konspektem. Można też interpretować w ten sposób lizanie po pysku.

- Ziewanie pokazuje zęby przeciwnika, może przygotować się na to, że ma silnego przeciwnika, ale nie jest to gest groźny jak podnoszenie lotek.

- Spojrzenie jest niechętne, głowa, a czasem i ciało zwrócone na bok, aby drugi pies nie czuł się zagrożony.

- Oddawanie moczu, wąchanie i zlizywanie moczu służy poznaniu się.

- Jeśli pies przyciska górną część ciała do ziemi i unosi tylną część ciała z merdającym ogonem, chce się bawić.

Ludzie zazwyczaj źle rozumieją gest. Pies stawia uszy do tyłu, jego czoło pozostaje gładkie i tylko przelotnie spogląda na drugiego psa. Ciało jest przykucnięte, a jedna łapa uniesiona. W tym samym czasie piesek macha opuszczonym ogonem. To gest uległości, a nie zaproszenie do zabawy i nie znak zbliżającego się ataku.

Zazwyczaj istnieją cztery typowe scenariusze, kiedy psy się spotykają.

- ✓ Psy zatrzymują się, podnoszą łapę i ruszają na wezwanie do zabawy. Gdy oba zwierzęta dadzą te sygnały, będziecie się razem bawić.

- ✓ Jeden lub oba psy opuszczają głowy i kaczą się. Posuwa się to niekiedy do wyraźnego gestu uległości (leżenie na plecach i chowanie ogona między nogi). Oba psy w większości przypadków będą się ignorować.

- ✓ Jeśli któryś z psów stoi wyprostowany, jego sierść na szyi szczerzy się, a on sam wysuwa zęby, to pokazuje gotowość do ataku. Jeśli drugi pies się podporządkuje, zwierzęta prawdopodobnie będą się wzajemnie ignorować.

- ✓ Staje się ona niebezpieczna, gdy oba psy wykazują chęć ataku i żaden nie chce się podporządkować. Psy będą walczyć.

Interweniuj zanim dojdzie do agresji. Użyj komendy "Siad", aby zainicjować uspokajający gest. Idź do swojego psa i upewnij się, że nie może być kontaktu wzrokowego. Trzymaj go na krótkiej smyczy i mijaj drugiego psa.

Oczywiście dotyczy to tylko sytuacji, gdy z drugim psem jest również osoba, która zapobiega walce i bierze swojego psa na smycz. Jeśli nie ma nikogo, kto mógłby uspokoić drugiego psa, lepiej spuścić swoją Akitę ze smyczy i mieć nadzieję, że psy dojdą do polubownego porozumienia.

Ważne

➢ Dwa samce są bardziej skłonne do walki niż dwie samice.

➢ Gdy w pobliżu znajduje się suka w rui, dwa samce zawsze będą o nią walczyć.

➢ Jeśli spotyka się samica i samiec, rzadko dochodzi do walki.

➢ Gdy suka w rui spotka się z samcem, na początku zwierzęta będą się intensywnie bawić. Jest to jednak wstęp do godów.

➢ Zazwyczaj podczas zabawy nie rozpoznają, kiedy zwierzęta są gotowe do kopulacji.

Opanowanie instynktu łowieckiego

Nie można liczyć na to, że żaden pies nie będzie nagle gonił za sarną czy kotem. Gdy wejdzie w tryb polowania, nie będziesz w stanie go zatrzymać. Akita uważa za dopuszczalne polowanie, jeśli tylko po nim wróci do ciebie. Oczywiście, nie można tolerować takiego zachowania. Nie jest to zgodne ani z dobrostanem zwierząt, ani z prawem. Pamiętaj, że myśliwy ma prawo zastrzelić psa, który kłusuje.

Dlatego pamiętaj o tym, by obserwować otoczenie, gdy spuszczasz swojego Akitę ze smyczy. Szukaj również znaków, jeśli twój pies podniósł zapach. Jeśli zatrzyma się i zauważalnie wciągnie powietrze przez nos, to prawdopodobnie wyczuje jelenia, kota lub innego psa. Oznaką jest również gorączkowe obwąchiwanie ziemi.

Zawołaj psa "na pięcie", jeśli zauważysz takie zachowanie lub innego zwierzęcia. Trzymaj go mocno. Wolno mu obserwować, ale nie wolno gonić zwierzęcia. Działa to całkiem dobrze, jeśli nalegasz na "siad" i jednocześnie trzymasz psa na bardzo krótkiej smyczy.

Twój pies uczy się, że nie tolerujesz go, gdy idzie na polowanie. Ale zawsze istnieje niebezpieczeństwo, że zapomni. Dlatego z zasady należy zachować szczególną uwagę.

Pogodzenie się z instynktem ochronnym

Życie z opiekunem o dobrych chęciach może być bardzo stresujące. Twój pies postrzega każdego, kogo nie zna, jako potencjalne zagrożenie. Przecież nie może wiedzieć, że człowiek pędzący ku tobie z wyciągniętymi rękami to twój ulubiony wujek, którego dawno nie widziałeś.

Niestety, z instynktu ochronnego też często rozwija się błędne koło. Wiesz, jak pies reaguje na obcych, dlatego unikaj kontaktu w jego obecności. Jednocześnie boisz się reakcji Akity i całej powstałej sytuacji. Przecież osoba, przed którą stoi Twój pies, raczej nie zareaguje w przyjazny sposób. Czasem dochodzi nawet do kłótni.

Jednak dopiero przyzwyczajenie do kontaktu z wieloma osobami pokaże psu, że obcy ludzie nie są synonimem zagrożenia. Przygotuj swój krąg znajomych na charakter psa. Powinni po prostu ignorować Akitę i nie bać się go. Umów się na spotkanie w spokojnym miejscu.

Dzięki temu wiesz, kiedy i gdzie spotkasz "nieznajomego". Okazuj radość, ale nie przesadzaj. Nagłe okrzyki radości drażnią psa. Trzymaj Akitę na krótkiej smyczy i nalegaj na "siad". Przytul człowieka, ale upewnij się, że trzyma Akitę siedzącą spokojnie. Pochwal go, gdy w dużej mierze ignoruje obcego człowieka.

Nigdy nie pozwalaj psu szczekać na innych ludzi, a nawet pokazywać wobec nich groźnych gestów. Powiedz "off". Poproś go, by usiadł obok ciebie.

Nie martw się, jeśli ktoś cię zaatakuje, twoja Akita zareaguje. Bo to jest dla niego nowa sytuacja. On wyczuje twój strach i pomoże im.

O tej serii:
Mój pies na całe życie

Jest to siedemnasty tom z serii kompaktowych, prawdziwych poradników na temat szkolenia psów. Poszczególne rasy prezentowane są przez autorów, którzy mają wieloletnie doświadczenie i miłość do psów. Życzymy wielu szczęśliwych i relaksujących lat ze swoim czworonożnym przyjacielem!

Akity Inus to piękne zwierzęta o wyjątkowym charakterze. Musisz traktować te psy z szacunkiem i nigdy nie próbować zmuszać ich do posłuszeństwa, które jest sprzeczne z ich naturą. Wtedy będziesz miał wiele radości ze swoim Akitą.

Będziemy zachwyceni pozytywną recenzją!

Akita

Height
67 cm

Weight
34-50 kg